함께 빛나자, 영원히

함께 빛나자, 영원히

함께 빛나자, 영원히

발 행 | 2024년 3월 18일
저 자 | 지운
펴낸이 | 한건희
펴낸곳 | 주식회사 부크크
출판사등록 | 2014.07.15.(제2014-16호)
주 소 | 서울특별시 금천구 가산디지털1로 119 SK트윈타워 A동 305호
전 화 | 1670-8316
이메일 | info@bookk.co.kr

ISBN | 979-11-410-7690-0

www.bookk.co.kr

함께
빛나자,
영원히

지운 지음

CONTENT

머리말

　이 글은 2023년 10월 무렵부터 블로그에 하나씩 올리기 시작했던, 진리와 지혜에 대한 기록들을 모은 것이다.

　본래는 좀 더 깔끔하고 단정한 모습으로 글을 완성하고 싶은 욕심이 있었다. 서론부터 결론까지 체계적으로 완성된 한 권의 책. 그러나 나의 소원이 이루어지려면 반드시 신의 응답이 있어야만 한다. 그러나 신은 지금까지 내게 "책"을 쓰라는 말씀을 전하지 않으셨다. 이에 대하여 깊이 생각하던 어느 날, 문득 지금까지 내가 블로그에 쓴 글들을 단순히 엮어보기로 했다. 왜냐하면 블로그에 남긴 모든 글들은, 그때그때 영감이 떠오를 때마다 순수하게 남겨놓은, 욕심 없는 글이기 때문이었다.

아마도 이 글들은 지금 시기에 나와 가까우신 분들께 먼저 돌아가게 될 듯하다. 결국, 내가 "양"들께 해드릴 수 있는 것이 오직 말과 글과 언어밖에 없음에, 한편으로 아쉬우면서도 - 살아 숨쉬는 존재 앞에서 언어란 얼마나 무력한가 - 한편으로 그 미력함으로 말미암아 더욱 진실할 수 있을 것이라고 기뻐하고 감사하게 된다.

만약 이 글을 이해하지 못한다면, 이는 쉬운 진리를 어렵게 쓴 나의 부족함 탓이며, 나는 이에 대하여 신 앞에서 늘 반성하고 성찰할 것이니, 읽는 이의 부족함이 아니다. 이를 기억하시기를 바라며, 이 글이 자신 안의 밝음을 찾는데 있어 자그마한 씨앗 하나만큼이라도 도움이 되기만을 간절히 꿈꾼다.

1.

진실이란 온 마음을 다하는 것

마음공부에 필요한 이론이나 지식이 부족하기 때문에 공부를 하지 않는 것이 아니다. 아는 것이 부족해서 공부가 잘 되지 않는 것이 아니다. 복잡한 경전이나 교리를 이해하지 못하기 때문에, 어떤 특별하고 영적인 체험을 못 했기 때문에 문제인 것이 아니다.

오히려 그 반대이다. 대부분의 사람들은, 아는 것이 너무 많기 때문에 문제이다. 그 말은즉, 마음공부에 필요한 이론이나 지식은 이미 모든 사람들이 너무나 잘 알고 있다. 지금 이 순간을 살아라. 항상 깨어 있으라. 자기 자신에게 진실하라. 자기 자신을 믿고 진리에 의지하라. 그 모든 문장들을 우리는 너무나 잘 알고 있다. 더불어, 흔해 빠진 동화책 한 권 속에도, 흔해 빠진 격언이나 사자성어나 속담 따위에도, 모든 진리에 대한 가르침이 이미 충분하다.

마음공부에 필요한 이론은, 동화책 한 권이면 충분하다. 충분하다 못해서, 차고 넘친다.

드라마 <도깨비>에서는, "......손자의, 손자의, 손자를 묻었다."라는 도깨비의 대사가 있다. 그 홀로 중얼거리는 음성을 통해서, 우리들은 불멸이 결코 복된 것이 아님을, 오히려 그 모든 사랑하는 사람들과 그들이 태어나고 자라나고 꽃피우고 저물고 기울어 흙으로 돌아가는 그 모든 변화들 속에서도 홀로 변하지 않는 것이 얼마나 지독한 고통이고 괴로움인지를, 가상의 이야기를 통해서 깨닫는다.

영생을 살아서 뭘 할 것인지도 알지 못한 채, 영생을 갈망한다. 자신의 삶과 자신의 존재의 의미와 목적과 방향과 진실성을 알지도 못한 주제에, 죽음을 회피하고 두려워한다.
삶이 뭔지도 모르면서, 죽음을, 죽음 이후를 알고 싶어한다.
존재를 알지 못하면서, 존재하지 않음에 대한 두려움을 느끼는 우스운 행태를 보인다.
그것이, <대중>의 모습이다. 대중으로서의 <나>의 모습이다.

도깨비는, 오랫동안 자신과 함께 했던, "생의 모든 순간이 선한" 유회장의 부고를 저승사자로부터 세 시간 일찍 전해 듣는다. 저승사자는 후회가 남지 않도록 찾아가서 마지막 순간을 함께하라고 권한다. 인간이라면, 그리 하리라. 그러나 도깨비는 그리하지 않는다.

그는 말한다. "죽음 앞에서는 뭐든 다 후회야."

대부분의 사람들은, 이 말의 의미를 곧이 곧대로 듣는다. 죽음을 갖다 대면, 생의 모든 순간들과 모든 행위들과 모든 생각과 감정과 느낌들이, 생의 모든 사건과 경험들이, 생의 모든 관계와 인연과 그 인연의 형성됨과 그 인연의 헤어짐과 흘러감의 모든 것들이, 다 "부족하고", "모자라고", "잘못한 것"이라고 느낀다. 대중들의 시선에서, 후회란 모자람의 후회이다.

그러나 진실은 그렇지 않다. 도깨비가 이미 그것을 은유하고 있지 않은가. 그는 또한 말한다. "살면서 전하고픈 말은 이미 다 했어." 즉, 그에게 모자람에 대한 후회는 없다. 그는 그것을 직접 선언했다. 그렇다면 그것은 무슨 후회인가? 바로 넘쳐흐름에 대한 후회이다. 모든 것을 이미 완벽하게 했음에도, 더하지 못함에 대한 후회. 이미 모든 사랑과 애정을 다 쏟았음에도, 더 사랑하지 못함에 대한 후회. 선과 정의를 쫓아 한 생을 다 불태웠음에도, 더 선하게 살지 못했다는 후회. 바로 그것이다.

우리 생에 모자람은 없다. 죽음은 그것을 증명한다. 오히려 모자람이 있을 때, 우리는 그것을 언젠가는 채우리라, 하는 막연한 기대와 환상과 희망과 욕망을 갖는다. 그리하여 그 환상은 에너지를 만들어내며, 무지개를 쫓는 아이처럼 우리를 움직이게 만들고 계속 살아가게 만든다. 그러나 완전함과 마주했을 때, 다시 말해 죽음이라는 끝을 맞이함으로써 이미 나의 모든 존재와 나의 모든 생의 순간들이 완벽했음을, 완벽하지 않았던 적은 단 한 순간도 없었음을, 알게 된다. 그러나 오히려 그러한 완전함을 마주할 때, 우리는 기대와 환상과 욕망에서 비롯한 즐거움이 아닌, 슬픔과 아쉬움과 미련과 후회와 회한을 느낀다.

왜 그럴까? 우리 존재가 빛이기 때문이다. 우리 존재가 전체이며, 무한하며, 하나이기 때문이다. 이미 완전함에도 <더> 완전하고자 하는 것이 우리의 본성이기에, 이미 찬란한 빛임에도 불구하고 <더> 빛나고자 하는 것이 우리의 본성이기에, 이미 진실하며 이미 선함에도 불구하고 더욱 진실하고, 더욱 선하고자 하는 것이 자신이기에. 그것이, 우리 내면에서 밝게 빛나는, 영원히 타오르는 불꽃, 영혼의 이끌림이기에. 그것이 곧 <신>이기에.

신을 만난 자는, 인생에서 모자람과 열등감 따위란 애당초 존재하지 않음을 깨닫는다. 모든 것을 <내가> 하는 것이 아님을, 심지어 <나>라고 생각되었던 이 몸과, 감정과, 생각과, 느낌과 그것들의 작용과 일어남까지도, 그저 이 모든 우주와 그 우주의 경이로움으로 충만한 사건과 현상들과 함께 <저절로> 일어나는 것이었음을, 깨닫는다. 곧 이 모든 것이 신의 창조이며, 신의 계획 하에 일어난 우주의 중대한 사건임을 이해한다. 눈에 보이지도 않는 사소한 미물

하나하나가 곧 이 우주에서 가장 중대하고 절대 없어서는 안 되는 존재임을 발견한다.

그것이 곧 전환이다. 거짓에서 진실로의 전환이며, 인간의 시선에서 신의 시선으로의 깨어남이다. 거기에 무슨 지식이 필요하며, 거기에 무슨 이론이 필요한가. 한 번 전환을 이룬 자에게는, 심지어 열등감까지도 완전함이며, 죄책감까지도 즐거움이며, 괴로움까지도 고귀함일진대, 그 모든 것들이 모두 환하게 빛나는 찬란한 신성임을 인정한다. 그것들을 선과 악으로, 완전함과 불완전함으로, 좋음과 나쁨 따위들로, 분별하고 나누고 판단하고 내맘대로 어찌하려고 했던 나의 어리석음과 무지가, 신 앞에서 얼마나 지독히도 어리석었던 것인지를 절실하게 깨닫는다.

그것은 겸손도 아니고 순종도 아니다. 하늘에 태양이 떴는데, 그 태양이 찬란하게 빛을 내뿜고 있음을, 인간인 나의 눈이 멀도록 온 존재로 느껴지는데, 그것이 찬란하지 않다고 어찌 감히 거부할 수 있으랴.

어찌하려고 하지 말라. 애쓰려고 하지 말라. 마음을 지켜보려고 하지 말라. 생각을 들여다보려고도 하지 말라. 깨달으려고도 하지 말라. 깨닫지 않으려고도 하지 말라. 이해하려고 하지 말라. 이해하지 않으려고도 하지 말라.

살아 있으려고 하지 말라. 존재하려고 하지 말라. 살려고도, 죽으려고도 하지 말라. 나아가지도, 머무르려고도 하지 말라. 뭔가를 하려고도 하지 말고, 하지 않으려고도 하지 말라. 마음공부를 하려고도 하지 말고, 마음공부를 하지 않으려고도 하지 말라. 행위는 열등함의 산물이다. 신께서 이미 완벽하게 창조한 이 세상을, 존재들을, 사건들을, 모자라고 열등하다고 깎아내리려는 것이 바로 <행위>이다. "~해야 한다", "~하지 않으면 한 된다."가 그 산물이다.

도대체 왜 진리를 알아야 하는가? 도대체 왜 깨달아야만 하는가? 도대체 왜 내 마음을 지켜보려고 해야 하는가?

이 세상에 완전하지 않은 것은 없다. 인간은 감히 무언가를 열등하다고 평가할 자격이 없다. 그것이 설령 자기 자신이라고 할지라도. 나는 나 자신을 탓할 자격도 없고, 원망할 자격도 없으며, 나 자신을 열등하다고 괴롭힐 자격도 없다. 그러니 온 마음을 다할 때 비로소 진실에 눈을 뜨게 되며, 온 마음을 다하는 법이란 곧 온 마음을 하나도 빠짐없이 다 내려놓고 포기하고 내던져버리는 것이다.

모든 마음들을 버리고, 모든 마음들을 다하려고 하는 마음을 버리고, 모든 마음들을 다하려고 하는 마음을 지켜보려고 하는 마음까지도 다 버렸을 때, 더 이상 뭐라고 할 만한 것도 쥘 만한 것도 어찌하려고 할만한 것도 하나도 남지 않았을 때, 그것이 곧 <온 마음>을 다하는 상태이다. 상태, 라는 표현까지도 넘어선 상태이다.

기억하라. 우리들은 태어난 순간부터 지금까지 <온 마음을 다하지 않았던 적>이 단 한 순간도 없었다. 아니, 신은 언제나 당신을 사랑하기에, 당신은 아무리 애를 써도 단 한 순간조차도 <온 마음을 다하지 않을> 수가 없다. 당신이 상상할 수 있고 생각할 수 있는 그 어떤 행위를 하더라도, 그 어떤 생각이나 말을 꺼내더라도, 그 모든 것들이 다 진실이며, 선이고, 빛이며, 신성이며, 고귀하다. 그 어떤 것이라도 당신에게서 비롯된 것은 그 어떤 것도 신이 당신을 사랑하지 않게 만들 수가 없다.

진실하라. 아니, 그저 눈을 뜨라. 보려고 하는 자는 볼 것이다.
거기에 무슨 복잡한 지식이나 법도가 있으랴.
눈을 떠라. 그리고 보라. 그러면 곧 눈을 뜨고, 볼 것이다.

2.

감추어진 것은 자유이고, 드러난 것은 괴로움이다

요즘 황창연 신부님의 영상들을 자주 본다. 쇼츠에 간혹 뜨면 다른 것들은 금방 넘기는데, 그 신부님의 말씀은 대개 끝까지 듣곤 한다. 나는 살면서 그분만큼 위대한 진리의 전달자를 보지 못했다. 물론 내가 책을 많이 읽은 것도 아니고 어디 강연을 들으러 쫓아다니지도 않았지만, 나는 그분의 말씀을 들으면서 그동안의 나의 글과 이야기들이 그렇게 부끄러워질 수가 없었다.

그분은 나처럼 어설프고 어리석은 주제에 그렇지 않은 척하려 남짓

어렵고 무겁게 이야기할 법한 그러한 진리들은 일언 반구도 꺼내지 않으신다. 그 대신, 누구나 듣고선 기분 좋게 웃을 수 있는 유머와 행복에 관해서 이야기하신다. 진리와, 진리의 체험에 관한 이야기들도, 반드시 유머러스하게 시작해서 유머러스하게 끝맺으신다. 그분이 과연 기독교적 진리와 구원과 형이상학적 신학론에 대해서 몰라서 말씀하지 않으실까? 당연히 아니다.

다만 그분은 아신다. "내가 너희를 사랑한 것과 같이 너희도 서로 사랑하라."는 말씀을 무게 잡고 사람들에게 내려다보며 엄숙하게 가르쳐, 고되고 힘든 삶의 현장에서 지치고 힘들어 위로받고자 성당에 온 사람들을 주눅들게 하지 않으신다. 그러나 그분은 어떻게 하면 부부 간의 갈등을 해소할 수 있는지, 어떻게 하면 좀 더 행복할 수 있는지, 삶과 일상의 구체적인 경우와 방도들을 참으로 재미있게 풀어내신다. 그리하여, 성당을 찾은 이들이 스스로 행복할 수 있게 하며, 스스로 행복한 결과 비로소 주변에 행복과 사랑을 나누게끔 하여, 저 위대한 계명을 사람들이 삶과 일상 속에서 실천할 수 있도록 하신다.

이만큼 위대한 가르침이 어디에 있으랴. 이만큼이나 신의 뜻을 잘 이해한 강의가 어디에 있으랴.

그분의 영상 중에서 드물게 내가 <좋아요>를 눌러놓은 것이 있다(나는 어지간해선 좋아요를 누르지 않는다, 내가 수집해야 할 필요가 있다고 여겨지는 것들을 빼고선). 그것은 그분께서 미사(확실하진 않다, 하여튼 카톨릭에서의 어떤 엄숙한 의식이었던 것 같다)를 진행하시던 어느 날의 체험에 대한 이야기였다. 엄숙한 분위기에서 의식이 진행되던 중, 군중 속에서 핸드폰이 울렸더랬다(스마트폰이 아니다, '핸드폰'이어야만 한다). 그러자 신부님은 진행하던 것을 멈추고 말씀하셨다. "일주일에 한 번, 모여서 하느님 찬양하고자 하는데 그걸 못 참아서 핸드폰을 들고 오느냐"와 같은 꾸짖음의 말씀이었다.

모든 절차가 종료된 후, 군중 속에서 한 여인이 찾아왔다. 그리고는 신부님께 죄송하다는 말씀을 드렸다. 그 여인이 말하기를, "우리 남편의 핸드폰"이라는 것이다. 그러자 신부님은, "남편이 잘못했으면 본인이 직접 와서 사과할 일이지 남편이 손이 없느냐, 발이 없느냐"고 여전히 분이 풀리지 않은 말투로 답변하셨다.

그러자, 여인은 전후사정을 이야기했다. 그 남편은 청각장애인이어서 소리를 듣지 못하는데, 미사 전에 진동으로 해놓고 들어왔다가, 중간에 그 진동이 풀린 줄 모른 채로 계속 참여했던 것이었다. 여인은 거듭 미사 중에 신부님 분심(분하는 마음) 들게 해서 죄송하다며 고개를 숙이고 갔다.

신부님은 물론 그 이야기도 아주 재미있게 풀이하셨다. "내가 그 이후로는 내 강의 때 휴대폰이 아무리 울려도 한 번도 뭐라고 한 적이 없다"며, "오십이 넘으니까 내 바지에서 폰이 울리는지 네 바지에서 울리는지도 모르겠더라"고 하셨다(일동 웃음). 그러나 그 이야기 속에 숨겨진 신부님의 깨달음이 얼마나 위대하랴. 그분은 자신이 엄숙한 의식을 진행하면서, 그 의식이 반드시 엄숙하게 진행되도록 군중들을 통제하는 것이 신의 뜻이라고, "인간인 내가" 짐작하여 화를 냈던 것이었다. 그러나 신은, 여인의 입을 빌려 깨닫게 해주신 것이다. 그 남편을 보냄으로서 신의 뜻을 함부로 짐작하지 말라고, 네가 화를 내고 잘못했다고 하는 그 사람마저도 내가 지극히 사랑하노라고, 그리하여 내 뜻을 함부로 짐작했던 너마저도 내가 언제나 사랑하노라고, 그분의 오만을 부드럽게 깨뜨리면서 동시에 신의 사랑을 보여주신 것이었다.

나는 그 영상을 보면서 처음에 말로 어찌 다할 수 없는 감동을 받았다. 더 감동이었던 것은, 그 신부님께서 이 이야기를 결코 엄숙하게도, 무겁게도, 진지하게도 하지 않으시고, 자신을 낮추어가면서까지 그 이야기를 유머로서, 재미있는 <썰>로서 풀어내셨다는 점이었다. 나는 감히 말할 수 있다. 그런 모습들을 보면서 신은 참으로 기뻐하셨으리라.

신의 뜻을 넘겨짚지 말아야 한다. 인간은 아무리 애를 써도 신의 뜻을 알 수 없다. 우리가 알 수 있는 것은 고작해야 책에 씌여진 것들일 뿐이며, 책은 인간이 만든 산물이요, 책 속의 언어 또한 인간이 만든 것들이요, 그 언어의 상징과 관념들 또한 인간의 것들인 바, 신은 그 어떤 것에도 속하지 않는 초월자인 까닭이다. 그러나 우리는 어리석게도 경전과 고서와 그것들을 가르치고 설하고 썼던 고작해야 <인간>의 말에 속아 넘어가서는, 진정으로 신의 사랑을 받는 사람들을 무시하고, 경멸하고, 그들이 신을 모독했다고, 신의 뜻을 어겼노라고, <가르치고>, <교정하려> 드는 것이다. 나는 감히 말할 수 있다.**인간은, 아무리 애를 써도 신의 뜻을 알 수 없다.** 신이 어떤 것을 좋아하시며, 어떤 것을 싫어하실 지를 알 수 없다. 어떤 행위를 심판하시고, 어떤 행위를 선하다고 인정하실지를 결코 알 수 없다. **신의 뜻은 본래 감추어져 있으며, 그 감추어진 것은 어떠한 경우에도 드러나지 않는다.**

왜 그런가? 그것은 애초에 신이 우리에게 무언가를 가르치거나, 무언가를 반드시 해야만 한다고 하거나, 무언가를 반드시 하지 말아야고 하거나, 그러한 규칙과 가르침과 <뜻>을 우리들에게 지시, 명령한 적이 처음부터 없었기 때문이다. 신이 인간에게 준 가장 큰 선물은 바로 자유의지이며, 그것이 곧 창조성이다. 우리는 신의 뜻을 모름으로서, 뒤집어 말하자면 우리가 한 모든 선택들이 신으로부터 존중받고 사랑받는다는 것을 알 수 있다. 신은 내가 어떠한 행위를 하든, 어떠한 경험을 하든, 어떠한 선택을 하든, 결코 나서서 "이건 잘못했다, 저건 잘했다"고 지적하지도 않고, 응답하지도 않는다. 그 대신, 삶의 모든 순간 순간마다, 시원한 바람으로서, 따뜻한 햇빛으로서, 지저귀는 새들로서, 한낮에 늘어지게 잠을 자는 고양이로서, 그 모든 일상의 순간들로서 우리를 사랑하고 지켜보신다.

신의 무응답은, 신이 우리를 버렸다는 것이 아니다.
신의 침묵은, 곧 우리를 지켜보되, 우리들의 그 어떠한 선택도 결코 참견하지 않겠다는 위대한 약속이다.
그러니, 나의 선택만이 정답이며, 나의 선택이 곧 신의 선택이 될 것이다.
시련을 앞두고 그것과 싸워 정복하기를 택한다면, 신은 옳다며 기뻐할 것이다.
시련을 앞두고 그것과 싸우길 포기하고 도망치기를 택한다면, 신은 옳다며 기뻐할 것이다.
시련을 외면하고 현실을 도피하기를 택한다면, 신은 나와 함께 도피하실 것이다.
"신은 죽었다", "신은 최악의 무책임한 방관자다"고 목청 높여 소리치더라도, 신은 옳다며 함께 소리칠 것이다.

모든 삶의 순간에서 그러하다. 모든 존재가 그러하다. 모든 생명들이 그러하다. 그러니 애초에 거기에 어떤 가르침이 있을 수 있는가?
가르침이란 곧 배움이며, 배움이란 무언가를 모르기 때문에 - 다시 말해 결핍과 모자람이 있기 때문에 - 그것을 채우려고 하는 관점이다. 바람결에 흔들리다 떨어지는 길가의 나뭇잎 하나조차도 신의 위대한 창조물이며 찬란하게 빛나는 영광일진대, 거기에 어떤 부족함이 있으며, 거기에 어떤 모자람 따위가 있을 수 있단 말인가? 그 찬란하게 빛나는 생명을, 빛을, 마주한 이는 말을 잃어버리고, 눈이 멀어버린다. 왜? 인간의 인식(눈) 따위와, 인간의 분별(언어) 따위가 신 앞에서 이다지도 무의미하고 무가치하다는 것을 엎드려 항복할 수밖에 없기 때문이다. 한낱 미물까지도 그럴진대, <나>는? 나는 어떠한가? 나는 신의 자녀가 아닌가? 어떻게 그럴 수가 있을까?

나는 아무리 용을 써도 신에게서 버림받을 수 없다. 나는 아무리 용을 쓰고 발악을 하고 상상할 수 있는 그 모든 행위를 해도, 내가 그것을 상상할 수 있고 떠올릴 수 있기 때문에 그 또한 신의 뜻이고, 신의 의도이다. 나는 아무리 해도 신의 뜻을 어길 수 없다. 나는 아무리 발악을 해도, 신이 나에 대한 사랑을 철회하도록 할 수가 없다. 그러니 신의 뜻을 알려고 하지 마라. 애초에 신은 우리에게 뭔가를 가르친 적도, 무언가를 지키라 지시, 명령한 적도 없기 때문이다. 곧 나의 행복이 신의 행복이며, 나의 자유가 신의 자유이니, 나의 슬픔과 불행마저도 신은 함께 슬퍼할 것이다.

그러니 내가 신을 사랑한다면, 신으로부터 사랑을 받으려 하지 마라.

그것은 존재가 시작된 이래로 너무나도 당연한 일이니. 다만, 내가 신을 위로하라. 내가 신을 사랑하라. 내 자신을 사랑함으로써, 내 자신이 행복하고 자유로워짐으로써. 오직 그것만이 진리이다.

3.

신과 교감하는 일상의 순간

평범한 일상 속에서 스쳐 지나가는 사소한 것들에게서 의미를 찾지
못한다면, 달리 어디에서 그 거창한 의미를 발견할 수 있을까. 오전
일찍 나선 산책길에서 마주하는 거리의 풀들, 나무들과 가지에 매달린
수천 개의 잎들, 꽃, 하늘, 구름, 강, 고요함과 나풀거림...... 이들에게서
신을 만나지 못하는데, 달리 어디에서 어떻게 신을 만날 수 있을까.

체험, 느낌, 교감…… 그러한 언어들이 단순히 정서적, 감정적 감수성에 불과하다고 여기는 이는, 평생을 찾아 헤매어도 진리에 눈뜨지 못할 것이다. 그들은 아마도 일상 속에 넘쳐 흐르는 생명들과, 그 생명들에 깃든 고귀한 신성들 곁을 늘 가까이 지나가면서도, 저 구름 위 세상에서 신을 찾고, 그 신을 찾아서는 자신의 무지를 신에게 탓하고 뒤집어 씌우리라. 물론, 신은 그에게조차 침묵의 약속을 지킬 것이다.

일상 속에서 신과 교감하지 못하는데, 경전과 고서와 사원에 간다 한들 신과 교감할 수 있으랴.
일상 속의 생명들에게서 신을 찾지 못하는데, 산과 하늘과 길에선들 신을 찾을 수 있으랴.
따뜻한 햇빛과 시원한 바람 속에서 신의 가르침을 듣지 못하는데, 과연 언어 속에서 신의 뜻을 이해할 수 있으랴.

깨어나라. 눈을 뜨고, 귀를 열어라. 그리하면 보이는 자는 볼 것이고, 들리는 자는 들을 것이다.

4.

언어와 침묵

점점 더, 무언가를 말한다는 것이 힘들어진다. 이제는 상상이 되질 않는다. 예전에는 도대체 내가 어떻게, 무언가를 <말하고>, <나>의 <주장>을 <서술>하는 게 가능했을까? 도대체가 그 언어라는 것이, 언어적 관념이라는 것이, 상징적이고 추상적인 관념들의 관계적 정의라는 것이, 실존하는 이 살아 숨 쉬는 생명들보다도 더 <진짜>라고 믿었던 적이 내 생의 대다수였다는 것이 도저히 믿기지가 않는다.

진리를 진리하고 이름하는 순간 이미 그것은 진리가 아니다. 신의 말을 말로서 표현하는 순간 그것은 이미 신의 말이 아니다. 도를 도라고 부르는 순간 그것은 이미 도가 아니다. 진리, 신, 깨달음을 언어로서, 관념으로서 정의하려고 하는 순간 이미 그것은 갇히게 되고, 갇힌 것은 유한하며, 유한한 것은 상대적이며, 상대적인 것은 분별을 낳고, 분별되는 모든 것들은 곧 결핍을 낳으며, 결핍은 욕망을 낳고, 욕망은 곧 자기 존재를 부정하게 만들며, 부정은 곧 죽음으로 귀결된다. 이 모든 과정은 순식간에 이루어진다. 그 즉시, 진리를 <진리>라고 정의내리는 순간.

이제 진리를, 진리 비스무리한 그 무언가를, 누군가에게 말하고 설명한다는 것 자체도 무의미해지기 시작한다. 그것이 무슨 의미가 있을까…… 이미 그 <누군가>가 신인 것을. 그 누군가의 생명을 신이 창조했는 것을. 신의 창조물인 그것이 이미 완전하며, 이미 완전하게 삶을 영위하며, 삶을 살아가는 것으로 진리를 현현하고 있음을. 그것을 목격하면서 내가 무슨 말을 할 수 있을까…… 다만, 나는 참으로 몸과 마음을 가진 인간임에 깊이 감사할 뿐이다.

무언가를 무언가라고 부르는 것이, 무언가를 무언가라고 정의하는 것이, 무언가를 무언가라고 인식한다는 것이, 도대체가 무슨 의미가 있단 말인가. 의미 없음조차도 이미 내가 떠올릴 수 있으니 곧 신의 창조이고 계획이니, 의미 없음도 곧 의미 있음이고, 의미 있음을 떠올릴 수 있으니 그것은 곧 내가 어찌할 수 있는 것이 아님에, 의미 있음도 의미 없음이니, 언어가, 정의가, 관념이, 인식들이...... 더이상 어찌할 수 있으랴.

침묵은 선이 아니다. 황금이 아니다. 오히려...... 그 어찌할 수 없음 앞에서 엎드려 항복하는 마음일 뿐이다. 존재 앞에서, 생명 앞에서, 신 앞에서, 그 찬란한 빛에 눈이 멀고 벙어리가 될 수 있음에 감사하는 것일 뿐이다.

5.

고백

간절히 바라건대, 비록 당신과, 당신의 뜻과, 당신의 메시지를 듣지 못하도록 하심은 받아들일 수 있으나, 심지어 그러함에 대해서조차도 당신의 뜻이 있음을 마음 깊이 감사하고 사랑할 수 있는 마음만큼은 거두어가지 마소서.

비록 한 평생을 제 뜻을 펼치지 못함은 얼마든지 담담히 받아들일 수 있으나, 간혹 저에게 인연 닿는, 당신을 찾아 헤매는 사람들에 대한 연민과 사랑과 진실함만큼은 영원히 내면에서 빛나게 하소서.

일깨우심을 위한 시험과, 그 시험에 들어 이리 헤매고 저리 방황하는 것은 지극히 합당하고 아름다운 일일진대, 그 길잃음 끝에서도 언제나 당신의 뜻을 이해하고 당신의 밝음을 깨우치게 이끌어주소서.

그리하여, 간절히 바라건대, 오직 당신만을 사랑하게 하시고, 당신의 뜻만을 입에 담고, 당신의 가르침만을 보고 듣고 말할 수 있게 하되, 당신의 뜻이 아닌 다른 모든 것들에 대해서는 눈을 멀게 하시고, 벙어리가 되게 하소서.

이것이 당신에 대한 머리숙임이 아닌, 오직 나의 자유와 행복을 위한 일임을 끝내 인정하고 고백합니다.

6.

일상 속의 성인과 일상 속의 가르침

창문에 비쳐드는 아침 햇살에서 신의 가르침을 듣지 못한다면, 설령 홀로 신을 독대한다 한들 그분의 말씀을 들을 리가 있으랴. 길을 걸으매 살랑이며 부는 바람과, 그 바람에 부드럽게 춤을 추는 꽃들과, 나뭇잎들과, 이름 없는 풀잎들의 모든 몸짓들에서 진리를 보고 듣지 못한다면, 제아무리 고금의 경전과 고서들과 선지자들을 찾는다 한들 진리의 말씀을 어찌 보고 들을 수 있으랴.

가장 낮은 곳에 기거하는 작은 생명들에 대하여 연민하는 스스로의 마음이 곧 신임을 알지 못하는데, 설령 신이 강림한다 한들 신이 신임을 어찌 알아볼 수 있으랴. 그 누가 알아보지 않더라도 다만 일상 속 작은 선(善)을 묵묵히 실천하는 절대 다수의 사람들이 성인이요, 알파이자 오메가요, 신이자 신의 현현이며, 그들 모두가, 그들 모두의 마음들이, 그들 모두의 일상들이 가르침이라는 것을 깨닫지 못하는 자가, 감히 어찌 신의 뜻을 이해하는 자를 만날 수 있으랴. 만난다 한들, 그에게서 어찌 말씀을 받을 리 있으랴.

퇴근길의 땅거미 저물 즈음의 술집에서 떠들썩하게 술잔을 기울이는 자들과, 그들의 술취함과, 그들의 웃음소리들 앞에서 신의 절대적 자비로움에 엎드려 경배할 마음이 없는 자가, 어떻게 신을 찬양할 수 있으랴. 그 모든 생명들과 그 모든 존재들이 그분의 경이로운 창조이자 빈틈없이 완벽한 아름다운 작품임을 이해하지 못하는데, 설령 그분의 작품을 직접 본다 한들 그 위대함을 어찌 깃털 하나만큼이라도 이해할 수 있으랴.

기억해야 한다. 오늘 하루 마트에서 마주친 이름 없는 사람들이, 연말 즈음 거리에서 보수공사를 하는 형광조끼 입은 일꾼들이, 식당에서 묵묵히 홀로 밥을 먹는 어떤 사람들이, 자신을 드러내지 않은 채 몰래 찾아온 신의 방문임을. 그들 중 깨달음과 깨달음의 가르침을 고요히 침묵하는 존재들이 숨어 있음을. 아니, 그 자신들의 일상을 사는 모든 생명들이 성인이요 선지자임을.

이것을 단지 <좋은 말씀>으로 치부하지 말되, 진실로 그들 앞에 엎드려 경배하고 찬양할 때, 마침내 그는 애타게 찾던 <말씀>을 만나리라. 평생을 빛을 찾아 헤매었으나, 어리석게도 제 자신이 빛임을 망각하고 평생 눈을 감고 세상 어딘가에서 밝음을 갈구했던 어리석음으로부터 비로소 눈을 뜰 수 있으리라.

7.

진실을 이해하면 온전히 수용하리니

수용하라, 감사하라, 인정하라, 받아들이라, 내려놓으라, 순종하라......

종교와 이념을 막론하고 진리에 대한 모든 가르침들은 반드시 진리에 대한 가르침을 열린 마음으로 받들며, 신에 대한 진실하고 온전한 믿음을 강조한다. 믿음이란 곧 수용이며, 그것은 곧 그 어떤 의문도 제기하지 않음을 뜻한다.

그러나 혹자는 이것을 의심한다. 그 의심은 크게 두 가지의 경로로 제기된다.

첫째, 어떤 가르침이나 진리, 혹은 신 존재 등이 반드시 객관적이고 논리적이며 반박 불가능한 방식으로 (다시 말해 절대적으로) 증명된 다음에서야 온전한 믿음이 가능하다고 생각한다.

둘째, 만약 외적인 증명에서 답을 찾지 아니한다면, 그 자신 마음 안에서 의심이나 의문, 갈등이 일어나더라도 그것을 끊임없이 반성하고 뉘우치며 갈고 닦은 끝에, 단 한 톨의 먼지도 남지 않을 때에야 비로소 온전한 믿음이 가능할 것이라고 생각한다.

이는 결국 지향하는 관점이 외적이냐 내적이냐의 차이일 뿐(혹은 양자가 일정한 비율로 혼재되어 있을 뿐), 그 본질은 같다. 결국, 부정적 관점이나 가능성 따위가 모두 제거된 이후에야 온전한 믿음이 가능할 것이라는, 이른바 소거법에 해당하는 관점들인 것이다.

그러나 진실로 말하니, 이것은 믿음에 대한 너무나도 큰 오해이다. 왜 그런가?

우선, 내적이든 외적이든, 혹은 양자 모두이거나 양자 무엇도 아니든 간에 상관없이, 이 세상에서 <절대적인> 증명이라는 것은 존재하지 않는다. 심지어 <나는 존재한다.>라는 이 지극히 당연한 명제나, <이 세상은 존재한다.>라는 너무도 당연한 상식적인 명제조차도 과학적, 수학적, 철학적, 신학적 관점에서 영겁의 시간이 흘러도, 어떤 변화가 찾아오더라도 결코 불변하는 진리라고 말할 수 없음이다. 나를 알아야 남을 알고, 남을 알아야 세상을 알진대, <나>라는 존재에 대해서 수천 년간 철학자들이 탐구하고서도 지금도 완전한 답을 찾지 못했다.

그리고 언뜻 외적인 증명이라는 것이 객관적이고 논리적인 관점이나 사고인 것처럼 보이지만, 기실 유심히 들여다보면 그 역시 결국 어떤 지식이나 진리를 대하는 한 존재의 "주관적 관점이나 태도"일 뿐이다. 여러 주관적 견해나 관점, 태도들을 크게 이분화한 것이 객관과 주관이라는 관념일 뿐이다.

나아가, 그 주관이라는 것은 본래 타고난 방식대로 존재하되, 순수한 자기 자신이 아니다. 어린 시절부터 배우고 학습하고 받아들여 온, 그것이 진실인지 아닌지를 그 자신 안에서 철저히 검증하지도 확인하지도 않은 채로 무작정 흡수하고 동일시하고 세뇌당한 지식과 견해와 관점들일 뿐이며, 나아가 집단적 무의식에 의해서 기계적으로 작동하고 반응하도록 형성되어 있는 것이 우리들의 <마음>일 따름이다. 그러므로 마음은 애초에 내가 어찌할 수 있는 것이 아니며, <내> 마음이 아니다.

그러니, <마음> 안에서 어떤 <온전한 믿음>이라는 막연한 상태나 감정, 혹은 현상 따위를 찾거나, 혹은 그것을 인위적으로 만들려고 하는 모든 관점들은 애초에 헛된 짓이다. 마음은 마음으로 변화하지 않는다. 나는 나를 움직이거나 조작할 수가 없다. 그게 가능해 보이는 까닭은, 우리들이 그러한 기계적 사고와 반응에 너무나 익숙해지고 길들여졌기 때문이다. 그것은 마치 파블로프의 개의 실험과도 같으며, 완벽히 길들여진 개는 종이 울릴 때 밥 생각이 나는 자신의 욕구와 밥을 먹겠다는 행동을 그 자신 스스로 자유롭게 취한 것이라고 착각할 것이다.

진실한 믿음은 이 모든 것들을 완전히 초월하는 것이다. 그렇다. <초월>이다. 진리의 가르침이란, 신에 대한 믿음이란, 애초에 우리가 갖고 있는 그 어떤 지식, 관념, 생각, 사고, 경험으로도 결코 이해할 수 없고, 결코 알지 못하며, 결코 보지도 듣지도 만지지도 못하는 것이다.

믿음은 성취하는 것이 아니다. 오히려, 무언가를 인위적으로 갖고 행위하고 조작하려고 하는 그 모든 발버둥을 완전하 포기했을 때 가능해지는 것이다. 마음속에 있는 의심을 지우고 지우고 또 지워서 마침내 하얀 도화지를 만드는 과정이 아니다. 의심하지 말아야 하는 것이 아닌, 그 반대로 철저하게 의심하고 또 의심해야 한다. 의심하고,

의심하고, 또 의심해서, 더 이상 의심할 수 없다고 여겨지는 상태까지도 의심한 끝에, 도저히 의심할 수 없는 단 하나의 근원을 마주해야 한다. 아무리 발버둥쳐도, 아무리 발악을 해도, 도저히 부정하려고 애를 쓰고 또 애를 써도, 결국 그 앞에서 그것이 진실이라고 인정할 수밖에 없는 것.

그것이 믿음이다. 그것은 자신과 자기 존재와 이로부터 형성된 모든 것들을 초월하는, 그 초월 앞에서 엎드리고 항복하는 것이다. 수용하려고 애를 쓰고, 감사하려고 발악을 하고, 긍정적인 생각을 가지려고 자신을 억압하며, 신을 믿으려고 자신을 괴롭히는 모든 것들은 오히려 신을 의심하는 행위이다. 철저히 미워하라. 철저히 원망하라. 철저히 분노하며, 자신이 할 수 있고 상상할 수 있고 떠올릴 수 있는 모든 수단과 방법을 동원하여 진리를 부정하고, 신을 부정하며, 그것을 더럽혀라.

그러다가 어느 날 문득 나는 나의 마음을 초월할 것이다. 나의 존재를 초월할 것이다.

그리하여 마주하게 될 것이다. 내가 아무리 발악하고 애를 써도, 나는 기어코 신으로부터 분리될 수 없다는 것을. 나를 살게 하며, 나의 존재와 생명의 모든 것이자, 현상하는 모든 것들이 가능케 하는 기적적인 근원이 신이라는 것을 도저히 부정할 수가 없다는 것을.

43

이 세계에는 생명이 가득하며, 생명의 빛이 가득하며, 그 빛의 전부가 신이며, 그러므로 오직 신만이 존재하되 신이 아닌 그 어떤 것도 존재하지 않는다는 것을, 인정할 수밖에 없다는 것을.

그것은 항복인 것이다. 온갖 부정과 오염과 파괴와 괴로움과 어둠 속에서, 마침내 눈물을 흘리며 엎드려 경배할 수밖에 없는 것이다.

그렇게 깨어난 자에게는 <능동>이라는 것은 더 이상 존재하지 않는다. 이전에는 <내가> 사는 것이며, <내가> 하는 것이라고 여겼던 자아 중심의 우주는, 이제 깨어남으로써 그 중심에 인간은 완전히 사라지며, 나 또한 완전히 사라지되, 그 자리를 찬란하며 영원히 빛나는 태양이 대체하는 것이다. 존재하고 형성되며 현상하는 모든 것들이 신이며, 신의 뜻이며, 신의 창조에 의해 움직여지고 이루어지는 것이다.

그것이 수용이다. 그것이 감사이며, 인정이고, 받아들임이고, 내려놓음이다. 그것이 진정한 믿음이고, 자신 안에서 영원히 빛나는 진실이며, 그 진실에 대한 간절한 기도이다. 생의 모든 순간들이 기도이며, 기도가 곧 명상이다. 신을 찾는 간절한 그리움이자 애타는 사랑이다. 그것이 빛이고, 생명이며, 부활이다.

눈을 뜨라. 그러면 빛을 볼 것이다.

8.

순종이라는 표현

본래 내 성격이 오만하고 자기주장이 강하며 나보다 약하거나 열등한 자를 무시하는 경향이 있다. 그와는 반대로, 사회적인 관계와 서열을 공고히 하고 그 안에서 내 위치를 확인받고자 하는 의미에서의 부분적인 사회성 또한 있다. 그것이 나의 에고였고, 깨어나기 이전의 나의 껍데기, 육신이었다.

그러므로 나는 종종 기독교적인 표현들 중 일부를 싫어했다. 내 의지로 싫어했다기보다는, 그냥 어떤 거부 반응 같은 것이 올라오는 것을 느꼈다. 내가 어찌할 수 없는. 이를테면 <순종>과 같은 단어도 마찬가지였다. 그 단어를 대할 적에, 나는 불쾌함을 느꼈다. 불쾌함이라기보다, 어떤 불편함, 이질감...... 이랄까.

요즘 세상이 좋아져서, 예전 같았으면 성당에 직접 가야만 들을 수 있었던 성가곡들이나, 심지어 그레고리안 성가와 같은 외국의 그것들도 유튜브에서 얼마든지 검색해서 들을 수 있게 되었다. 요즘 나는 그러한 류의 음악들을 즐겨 듣는다. 나의 어머니께서도 젊으셨을 시절 개신교의 성가대 역할을 하셨었고.

그러한 성가곡과 같은 음악의 영상의 댓글을 보면, 신께 간절한 마음으로 기도하는 사람들이 너무나 많다. 그들은 주님을 찾고, 예수님을 찾으며, 하나님을 찾는다. 무엇을 어떻게 표현하고 지칭하든 그런 건 하등 중요치 않다. 내가 경계해야 할 것은, 절대적인 옳고 그름을 판정하실 수 있는 분은 이 세상에 오직 한 분이시라는 것이며, 그 절대적인 신성 앞에서 감히 안내자이자 통역자에 불과한 나 따위가, 무엇인가를 옳고 그름으로 따져 분별할 자격 따위는 없다는 것을, 혹여나 내가 망각해버리면 어쩌나, 하는 바로 그 마음이었다.

그 사람들이 성경의 가르침대로 자신을 죄인이라 칭하는 것을 내가 잘못이라고 칭할 자격이 있는가? 그들이 그 믿음으로 말미암아 선을 실천하고 신의 말씀대로 따르고자 하는 그 마음과 신념과 믿음이 그들의 가슴 속에 자그마한 불꽃으로 피어오를진대, 그 앞에서 내가 그들의 신념이 잘못됐는지 잘 됐는지를 감히 어떻게 분별한단 말인가? 심판이 역사적 사건으로 찾아올지 아니면 그저 영적인 상징적 의미일 뿐인지를, 감히 내가 어떻게 정의하고 판단하고 분별한단 말인가? 일상을 열심히 살아가며, 힘든 처지 속에서 신의 구원과 자비를 바라는 이들을 일컬어, 어떻게 감히 기복신앙이니 의존하려는 나약한 마음이니, 그따위 비판을 할 자격이 있단 말인가?

이 세상 누가, 그 사람들에게, 그 사람들 앞에서, 감히 "비판"을, 할 수 있단 말인가......

그들 모두가 하나도 빠짐없이 전부 다 신의 자녀들이며, 신의 절대적 보호와 사랑을 받고 있거늘.

그러니 나는 간절한 마음으로 신께 기도할 수밖에 없는 것이다. 말로는 어찌할 수 없고, 형언할 수 없는, 그 앞에서 인간에 불과한 나는 아무것도 할 수 없고, 그 무엇도 어찌할 수 없으니, 부디 당신께서 나를 이끌어달라고. 사람들이 내 입에서 흘러나온 말들에 귀 기울이고, 존중하고, 마음을 여는 것은, 오직 위로부터의 영광에 인한 것이지 나 따위는 그저 매개체에 불과함을, 그 겸손과 순종의 진정한 의미와 기쁨을 나로 하여금 망각하지 않게 해달라고.

제게, 간절히 필요한 이들에게, 간절히 필요한 메시지를 전달할 수 있는, 순종하는 마음을 잃지 않게 해달라고.

이것은 나의 신념이다. 설령 이번 생의 육신의 목숨과도 바꾸지 않을
만큼, 아니 내 의사와는 상관없이 영원히 바뀌지 않을. 그동안
신으로부터 받은 사랑을, 이제 내가 신께 되돌려드릴 차례이다.

9.

첫눈, 축복, 사랑

사랑하는 아이야, 아무것도 두려워할 것이 없다", "내가 너를 내 품에 안아 보호할 것이니", "그 어떤 악함도 너를 해치지 못한다", "그러니 이제 잠에서 깨거라", "너를 위한 세상이 여기 기다리고 있으니."

아아, 이 세상의 모든 가르침들은 신으로부터 온 것이니, 그것들을 단 하나로 정리한다면, 어찌 이와 같지 않을 도리가 있으랴. 이 이상으로 어찌 지극한 사랑을 표현할 길이 있으랴.

흰 눈이 나리는 어느 날 밤, 홀로 쓸쓸한 어둠 속을 걷는 자에게, 어찌 축복이 있지 않을 수가 있으랴. 설령 그가 어둠 속을 걸으면서 추위에 떨고 외로움에 시달리느라 그 누구도 만나지 못했을지언정, 마지막으로 만난 자가 어찌 신을 대신하여 그를 품에 안아주지 않을 도리가 있으랴.

<레미제라블>에서는 누구나 다 아는 유명한 장면이 있다. 장발장은 눈 오는 춥고 어두운 밤, 우연히 들른 신부의 집에서 은접시를 훔쳐서 도망 나온다. 심지어 신부가 아무 대가 없이 그를 받아주고 식사를 베풀어 주었는데도.

장발장은 머지않아 경비에게 잡히고 만다. 그는 "이 접시들은 신부님이 주신 것"이라고 변명해보지만, 그 변명이 어디 먹힐 것인가. 신부에게 다시 끌려가던 그는 포기하고 있었으리라. 아아, 신은 기어코 이마저도 나를 외면하는구나. 이 어두운 밤을 지나는 자녀에게, 기어코 눈길 한 번 주지 않는구나.

그러나 이토록 놀라운 일이 있으랴. 신부는 그를 보자마자 말하였다. "아니, 은촛대도 함께 가져가라고 말했는데 왜 은접시만 들고 가신 겁니까?" 그는 할 말을 잃었으리라. 물론, 경비들은 신부의 말이 거짓말이며, 그를 감싸주기 위한 선의의 거짓말일 확률이 아주 높다고 생각했을 것이다. 그런데 그 귀중한 은촛대와 은접시의 소유자가 저렇게 말하는데 뭘 어찌할 것인가.

신부의 행동이 사제로서 옳은지 그른지를 인간들은 재고, 따지고, 토론을 벌였으리라. 신의 종에 불과한 그들이, 감히 그 주인인 신의 뜻을 함부로 넘겨짚어 사제를 심판하고 장발장을 심판하였으리라.

그러나 과연 그 은혜를 배풀었던 신부의 마음이 어떠했을지를, 참으로 공감하는 자는 얼마 되지 않는다. 그건 관심사가 아니다. 왜? 신부 같이 고귀한 사람이라면 마땅히 그리 행동함직하니까.

그건, "당연한" 것이니까……

아, 그날 눈이 한없이 내리는 날 밤, 바람이 몹시도 차던 밤, 신부는 짐작했으리라. 신이 보낸 이가 찾아오겠구나. 그 운명 같은 직감이 그의 마음에 젖어들었으리라. 그리하여 신이 보낸 이가, 믿기지 않을 만큼 허름하고, 험악하고, 분노와 억압에 찌들며, 신으로부터 가장 멀리 떨어진 사람이라는 것을 두 눈으로 목격한 순간, 신의 '그' 종은 자신에게 보내어진 신의 은총에 참으로 감사의 인사를 올렸으리라.

신부에게 그처럼 영광된 선물이 어디에 있는가? 신을 대신하여, 그에게 '마지막' 은총을 베풀어줄 수 있지 아니한가! 그 영광 앞에서 은접시나 은촛대 따위가 어디 대수랴. 신부는 장발장이 은접시를 훔쳐 달아났을 적에, 아쉬워했으리라. 신의 종으로서 그에게 전달할 신의 선물이 그것밖에 되지 않는다는 사실에. 그러나 그가 또한 경비에게 잡혀왔을 적에, 자신을 향한 신의 배려에 그토록 감사하지 않을 도리가 없었으리라.

신의 종에게, 신의 은총을 대신하여 베풀어줄 수 있는 놀라운 기회를, 그것도 두 번이나 받은 것이지 않은가.

그 순간은 신부의 삶에서 가장 귀중한 축복의 순간이었을 것이다.

그럴진대, 장발장이 잡혀왔을 적에, "왜 은촛대도 가져가지 않았습니까?"라는 말 외에 달리 무슨 말을 할 수 있었겠는가. 그 순간에, 그 말 외에, 달리 무슨 언어가 사제의 마음 속에 있을 수 있었겠는가.

나의 블로그는 나 홀로 중얼거리는 침묵의 공간이다. 다만 누군가가 우연히 들러서 그것을 다른 시간과 다른 공간에서 공유할 뿐. 그러므로 나는, 침묵 속에서 종종 이러한 이야기들을, "진실"이 숨겨진, 그러나 내면으로 깊이 공명하는 것을 느낄 수 있는 이러한 몇몇 순간들을, 마음속으로 그리곤 한다. 이것은 분석이 아니다. 어떤 논리도 주장도 이론도 철학도 신학도 아니다. 나는 그런 건 알지 못한다.

참으로 다행히도, 나는 어리석고 무지한 탓에, 그런 것들은 알지
못한다.

다만, 레미제라블 이야기 속 신부에게 일어난 일이 어째서 "재수
옴 붙은 일" 따위가 아닌 신의 축복이자 사제를 향한 배려였는지를,
그리고 그 축복을 마주하는 순간에 신부의 마음이 어떠했을지를,
나는 알 수 있다. 그것은 지식이나 이론이 아니다. 그저, 내면에서
무언가가 공명함으로 인하여, 내게 전해지는 느낌일 뿐이다. 나의
자아는 그저 그 울림과 공명을 언어로서 전달하는 발화자이자
메신저일 뿐.

신부의 행동이 선인지 악인지, 왜 선/악인지, 선이라면 어떻게
추구해야 하는지 따위를 나는 설명할 수 없다. 다만, 어둠 속에서
빛을 찾아 헤매이는 누군가가 나를 찾아와 신의 뜻을 묻는다면, 혹은
신께서 내게 사람들을 보내시어 내게 신의 뜻을 전달할 기회가
찾아온다면, 그 어떤 사소한 때이더라도 그런 순간들이 앞으로
찾아온다면, 나는 기꺼이 그 빛을 내어보일 것이다. 언어로는 설명할
수도 드러낼 수도 없으니, 그저 드러내어 보일 수밖에.

10.

고요한 침묵의 기쁨 가운데 성실함으로

며칠 전, 열여섯 명의 손님들께 강의를 할 수 있는 기회가 있었다.
그날은 눈이 많이 내렸고, 바람도 많이 불었는데, 바로 전날까지는
따뜻했다가도 사람들이 모이기로 한 그날부터 마침 날이 추워졌고
눈이 내렸다. 내 기억으로 남쪽 지방에서 겨울에 눈이 내리는 것을
목격한 것은 꽤 오랜만인 것 같았는데, 그 분주함과 고요함의 중간
어딘가에서, 창밖에 눈이 내리는 풍경을 바라보는데, 올해의 첫 눈이
마치 모여든 사람들을 위한 축복처럼 느껴졌다.

나는 강의를 열심히 준비했다. "더 잘할 수 있었는데……" 하는 미련이나 아쉬움, 죄책감 따위에 속을 만큼 이제는 흔들리지는 않았다. 자료도 준비했고, 사람들에게 어떤 큰 비전이나 단계를 보여주려고 노력했다. 이른바, <숲>을 보려는 노력을 했던 것이었다. 그 한 장에 나는 나름대로 숲을 담았다고 생각했고, 주어진 강의 시간 동안 할 수 있는 충분한 설명들을 했다. 확실히, 그 이상 뭘 어떻게 할 수는 없는 일이었다.

그러나…… 강의가 끝마치고 나서, 나는 왠지 모를 아쉬움을 느꼈다. 설명은 충분했더라도 그 안에 무언가 진심이 담기지 못한 것 같은, 그런 느낌이었다. 물론 그것을 어떻게 해결할 마땅한 수단이 없다는 것쯤은 알고 있었다. 열여섯 명이 모였다면 그것은 공개 강의의 형식이고, 그럴 때 그분들 앞에서 내 개인 이야기를 할 만큼 내가 뭐 대단한 경력이나 경험이 있는 것도 아니었고, 그렇다고 한분 한 분 붙잡고 상담식으로 하려니 그것도 안 맞았기 때문이다.

그러니 내가 할 수 있는 건, 신에게 묻는 것뿐이었다. 어찌 해야 합니까. 비록 당신께서 이런 내 모습까지도 인정하고 사랑해주시더라도, 나는 사람들에게 당신의 뜻과 가르침을 충분히 전달하지 못했다고 느낍니다. 그리고 그 마음은 곧, 사람들에게 지금보다 더, 당신의 뜻을 전달하고 더더욱 깊은 당신의 사랑을 공유하고 싶습니다.

그 응답이었을까. 그 다음날, 놀랍게도 내 블로그를 통해서 오랜만에 상담을 주신 분이 찾아오셨고, 그날 오후에는 그때 모임에 참여했던 분들 중 한 분께서 영적 성장을 위한 조언을 얻고자 타로 상담을 신청해주셨다.

그날 아쉬움을 느끼고 나서, 나는 이 세상에서 내 강의나 상담, 이야기를 듣기를 원하는 사람이 단 한 명밖에 없더라도, 그 한 명을 위하여 천리 길을 가겠노라고, 이제부터 내가 손님들을 마주하여 상담하거나 강의하는 모든 순간마다, 오직 철저히 신의 뜻을 따르며, 오직 신의 뜻 안에서만 입을 열겠노라고 다짐했다. 신이 그런 내 모습을 알아주셔서일까, 아니면 가엾게 여기셔서인가.

그 다음날, 내게 찾아온 두 분에게 나는 내가 할 수 있는 모든 진심 어린 메시지와 전언을 전했다. 그것은 이론이나 설명이 아니었다. 내 안의 깊은 곳에서 울려퍼지는 신성이었고, 밝은 빛이었으며, 확신이었다. 익히 내가 알고 있었던 바로 그 '느낌'이었던 것이다. 그리하여 나는 어렴풋이, 내 질문에 대한 신의 응답을 이해하게 되었다.

나의 불만족이란, <한 번의 강의를 통하여 모든 것을 다 해결하겠다>는 나의 아만이요 고집이었던 것이었다. 각자의 영혼은 모두 신이라는 사실을, 신의 사랑과 보호를 받고 있다는 사실을, 나는 망각했던 것이다. 내 역할은 '가르침'이 아니라, 그들이 이미 알고서도 체감하지 못하던 그 무언가를, 그저 안내해주는 역할에 불과했다. 이 세상에서 <모든 것을 한 번에 다 해결할 수 있는> 존재는 오직 신밖에 없다는 사실을, 나는 새삼 잊어버렸던 셈이다.

그 불완전과 모자람은 당연할 수밖에 없는 것이었다. 인간인 이상, 신의 전체 그림을 이해할 수 없는 것은 지극히 당연하며 내가 지금까지 사람들에게 누누이 계속 이야기해왔던 말 아니었던가. 그렇다면, 안내자로서의 나 역시도 마찬가지로, 그저 주어진 때, 주어진 인연에게, 주어진 상황에 맞게, 그저 충실하면 되는 것이었다. 오늘은 a를 이야기하고, 내일은 c를 이야기하고, 모레는 f를 이야기했다가, 또 다른 날에는 다시 a로 돌아가는……

그것이 성실함이었고, 꾸준함이었으며, <평범함>의 진정한 의미였다.

신의 응답으로 말미암아, 나는 침묵의 소중함을 다시 깨닫게 되었다. 신성은 직접 겉으로 드러낼 수 없다. 애써 드러내보인들, 그 빛의 찬란함과 영광과 경이로움은 각자 때가 되면 알게 되는 것이지, 내가 원한다고 하여 때가 되지 않은 이들에게 강제로 그 빛을 쏘아보일 수는 없는 일이었다. 그러니 때가 되지 않은 사람들 앞에서는, 나는 그 영광됨과 경이로움과 형언할 수 없는 내 안의 이 절실함을, 진실성을, 오히려 "이상해보이지 않게" 감추는 것이 필요한 것이었다. 그것이 침묵의 본뜻이었고, 그 침묵 속에서, 나는 그 사람들의 때와 인연에 맞는 적절한 이야기를 공유하고 전달하면 되는 것이었다. 그것이 내게 허용된 안내자로서의 역할이었다.

심지어 그 침묵의 대상은, "감춤"의 대상은, 이번 생의 나의 친어머니나, 친아버지나, 가족에게까지도 해당되는 것이었다. 내게서 가장 가까운 이가 어쩌면 등잔 밑의 어둠과도 같은 그러한 관계일지니. 그것 역시 전혀 이상하지 않은 일인 셈이다. 나는 그 사실 역시 이번 일을 통해서 받아들이게 되었다.

이번 생의 내 성격과 사고방식과 성향들이 이렇게 설정됨으로 인하여, 나는 더더욱 침묵과 순종에 깊이 침잠해야만 하는 것이었다. 아마도 앞으로의 수 년간에서 내가 명심해야 할 가장 중요한 원칙이 될 것이다.

11.
우연한 계시

아침에 일어나 문득 유튜브를 생각 없이 보다가 우연히 들린 한 말씀이 계시가 아닐 도리가 없을 것이다. 그런데 나는 그걸 무심코 넘겼다가, 다시 돌이켜 보니 나를 비추는 거울이었더라.

오늘은 크리스마스이다. 기독교를 믿든 안 믿든, 모든 사람들이 이 축제를 즐거워하는 건, 일상에서 벗어나 잠시 괴로움을 잊을 수 있는 국가적이고 공식적인 명분이어서일 것이다. <구원>에 대한 희망도 또한 그러할 것이다. 축제가 화려한 만큼이나, 그 축제가 끝난 뒤 그들이 돌아가야만 할 일상이, 사회가, 우울하고 슬프다는 것 아니겠는가.

그 앞에서, 고작해야 언어에 불과한 나의 말들이, 표현들이, 이야기가, 그들에게 과연 얼마나 힘이 되어줄 수 있겠는가. 고작해야 이, 내가.

신이 나를 불쌍히 여겨, 내게 그 사람들의 그러함에 공감할 수 있는 마음됨을 주셨더라면, 크리스마스를 맞이하여, 나는 결국 신에게 청원할 수밖에 없는 것이다. 내겐 저들에게 힘이 되어줄 능력이 없으니, 부디 우울과 슬픔 속에서 괴로워하는 모든 이들에게 신의 축복이 함께하게 해달라고.

오직 그것만이, 어쩌면, 한 영혼의 어둠을 비춰줄 수 있는 빛이 되어줄 수 있을 것이라고.

12.

침묵 속의 지혜

진리는 참으로 말로서는 어찌할 수 없는 것이다. 진리는 언어에 담기지 않고, 관념으로 가리켜지지 않는다. 그것은 오직 직접 체험하고, 직접 느끼고, 직접 마주함으로써만 마침내 깨우쳐지는 것이다. 그 온전한 이해는 철저하게 한 존재의 내면에서만 이루어지므로, 그것을 인간의 언어로서는 밖으로 꺼내보일 수가 없다.

나는 새삼 이것을 체험한다. 표현된 말은 너무나 쉬우나, 그 쉬운 말 속에 담겨지지 않는 본 뜻은 헤아릴 수 없이 깊고 심오하고 위대하다는 것을.

너의 일을 모두 신께 맡겨라. 그리하면 신께서 그 일을 이룰 것이다. 참으로 그러하다. 참으로 그러하지 않을 방도가 없다...... 이것은 도저히 말로써는 어찌할 수가 없는 것이었다. 어찌 설명해보일 수도 설득할 수도 없는 것이었다. 다만, 이 내면에서 빛나는 "이것"을, 어찌하지 못해서, 나의 가능한 모든 말과 표현과 손짓과 발짓으로, 허우적대 보이는 것이었다...... 그 허우적댐이, 나의 강의의 모든 것이고, 나의 상담의 모든 것이다.

지혜는 언어 속에 있지 않다. 그러니, 참으로 말에, 문자에, 기록에 집착할 필요가 하나도 없는 것이다. 신은 오직 나의 내면으로 직접 찾아오시며, 이 세상에서 오직 나하고만 소통하신다. 그러니 다른 존재나 다른 책이나 다른 무언가에 의존하여 신을 찾으려 하면, 거기에는 빈 껍데기만 있을 뿐, 진정으로 진실한 것을 놓치게 된다.

요즈음, 나는 이 모든 일들이 그저 우연의 연속이 아니며, 나의 존재와, 나의 삶이 펼쳐지고 전개되는 이 모든 것들이, 철저히 신의 계획이며, 그 신의 계획은 무서울 정도로 완벽하고, 그 완벽 속에 무서울 정도의 뜻과 규칙과 율법이 깃들어 있다는 것을, 직접 보고 체험하고 있다.

진실로 신을 사랑하고 따르는 자를, 신은 결코 외면치 않는다. 진실로 신을 사랑하고 신을 찾는 자의 목소리와 그의 바람을, 신은 결코 외면하지도 잊어버리지도 않으신다. 그리하여 끝까지 그 믿음을 유지하고 특히나 어려운 순간일수록 더더욱 신에게 가까이 가고자 노력하는 이는, 때가 되었을 때 환난을 피해 방주에 오를 것이며, 그 모든 과정 끝에 그가 본래 바라던 것의 몇 배, 몇십 배, 몇백 배나 되는 결실을 되돌려받게 될 것이다. 이것이 실로 진실임을, 실제로 이루어지는 과정임을, 직접 두 눈으로 지켜볼 때의 그 무서움과 경이로움은, 겪어보지 않은 자는 도저히 어찌하지 못하리라.

13.
함께 빛나자, 영원히

함께 빛나자, 영원히.

문득 이 말이 떠올랐다. 사실은, 네번째 책을 쓰고 싶어서, 책 제목을
이리저리 고민하다가 떠오른 거였다. 물론 언제 쓸지는 잘 모른다.
그런데 만약 쓰게 된다면, 이전보다 훨씬 쉽고 친근하게 써보고 싶다.

안솔기쉼터에서 내 역할이 지금처럼 사람들을 상담하고 강의하는
거라면, 내가 원하는 건 이론적이고 분석적인 상담이나 강의가
아니다. 지식이나 학문은 더더욱 아니다. 그런 건 관심 없다. 아니,
정확히는 관심이 있었고 꽤 컸지만 저절로 없어져버렸다.

나는 그저, 나를 살아 있게끔 하는 이야기를, 내가 살아 있음의 기쁨을 느끼는 그러한 순간에, 나의 내면에서 진실하다고 느껴지는 그러한 영감과, 영감으로부터 전해지는 이야기를, 아주 서투르고 어리숙하게 전하고 싶다. 아무것도 모르는 바보처럼. 그 무엇도 꾸미지 않은 채로.

사람은 지식으로 변화하지 않는다.
사람은 오직 사랑으로, 체험된 사랑으로 인해서만 변화한다.

나는 늘 두려움을 안고서, 모자람을 안고서, 사람들 앞에 서고 싶다. 모자란 모습으로, 모자람을 인정하며, 그렇게 서고 싶다. '나'는 주목받지 않았으면 좋겠다. 내가 죽더라도, 내가 남긴 책이나 강의들이 설령 사람들에게 유명해지더라도, 나의 이름은 알려지지 않았으면 좋겠다.

사람들이 나의 이야기로서 그들이 눈물을 흘리고, 그들이 감동 받고, 그들이 변화할 적에, 나는 아무것도 하는 역할이 없다. 나는 아무것도 할 수 없다. 나는 그 누구도 변화시킬 수 없다. 오히려 나는, 늘 항상 내면의 순수한 빛을 어지럽히거나, 가리거나, 더럽히지나 않을까, 조마조마한 마음으로 늘 임할 뿐이다.

신 앞에서의 그 어리숙함이, 모자람이, 어리석음이, 너무나도 좋은 것이다. 너무나도 감사한 것이다.

내가 다음 날 새벽에 닭이 울기 전의 그 하루도 안 되는 시간 동안에도, 세 번이나 신을 부정하고 외면할지라도, 그때에도 신이 나를 언제나 사랑하고 용서하리라는 것을 아는데 대한 감사하는 마음이, 어찌할 수가 없는 것이다.

그렇기에 그들 앞에서, 나로서는 상상할 수도 없을 만큼의 확신에 차서 소리 높여 말할 적에, 나는 더없이 기쁘고 황홀한 것이다. 그렇기에 감히, 입에 담을 수 있는 것이다. "나는 길이요, 진리요, 생명이니" 라고. 그것이 끝없이 흘러넘치는 그러한 순간에, 나는 머리로는 '아, 이런 표현, 이런 말을 입에 담으면 참으로 내가 곤란해질 수도 있겠다, 굉장히 조심해야 하는데...' 고민하고 망설이면서도 가슴으로는, 그것을 막을 길이 없는 것이다.

'나'는 사망의 어두운 골짜기를 헤매더라도,
내 안의 '빛'은 영원토록 빛날 것을 아는 것이다.
그러니 그 기쁨을 혼자서 어찌할 수 있으랴.
어둠 속을 헤매이며 빛을 찾는 이를 보았을 때,
그에게 내 모든 빛을 기꺼이 남김없이 전해주지 않을 도리가 있으랴.
"함께 빛나자, 영원히."

14.
감사

나로 인하여 한 존재가 신에게로 이르는 길을 열어가는데 자그마한
계기가 되어줄 수 있음에 감사한다. "모든 영광은 오직 아버지께
있으며", 진실로 한 존재로부터 다른 존재가 모두 "아버지의 품 안에서
하나가 될 수 있음에", 그것을 목격하고 또 그러한 순간의 일원으로
존재할 수 있다는 것이, 말로는 어찌할 수 없고 언어로는 그 이상
표현할 수 없는, 형언할 수 없는 기쁨이요, 감사이다.

비록 먼 훗날, 삶이라는 이 유희 속에서, 내가 또 다시 "닭이 울기 전에 세 번이나 신을 부정하더라도", 신께서는 지금의 내 마음이 진실됨을 알고 계시리라. 또한 그 훗날의 나 또한, 오늘의 이 진실한 마음으로 말미암아 품에 안고 용서하시리라. 그러니 마침내 우주선의 "길고 지루한 카운트다운"이 100초 언저리에 접어든 지금 시기를 마주함으로써 돌아보건대, 내게는 반드시 이 시기의 길고 지루한, 공허하고 답답한, 외롭고도 슬픈, 지치면서도 쓸쓸한, 그러면서도 신을 알게 하시고, 신의 사랑을 알게 하시는, 이 모든 과정들이 반드시 거쳐가야만 하는 필연적인 운명과도 같음을 내 스스로 인정하고 또 인정하는 것이리라.

나는 지금의 이 마음을 영원히 잊지 않을 것이니, 내가 세운 증표와 기록과 언어들로 말미암아 길을 잃어버릴 때마다 오늘, 이곳으로 되돌아오리라.

15.
표지판과 길

엄밀한 의미에서, 누군가가 다른 누군가를 "가르칠" 수 있는 건 현상계의 차원에서는 불가능한 일이다. 왜냐하면, 언어적 관념의 틀 안에서, 가르침이란 항상 지식이나 경험의 차원에서 상위에 있는 자가 하위에 있는 자에게 자신이 소유한 것을 주거나 받는 것을 의미하기 때문이다. 그러므로, 가르침이란 아는 자와 모르는 자, 라는 분별이 있는 상태에서만 존재할 수 있다.

이것은 지식의 차원의 이야기다. 그런데 지혜의 차원에서는 아예 전혀 다른 일이 이루어진다. 우리 집을 찾아오시는 손님들은 거의 대부분 어머니뻘 되시는, 삶의 경험과 연륜이 충만하신 분들이고, 그분들은 뭘 잘 모르는 경우는 있어도 인생 경험을 기반으로 하여 어떤 사람의 행동이나 말이 진실인지 거짓인지, 속임수인지 진짜인지를 정확히 읽어내실 수 있는 충분한 자격을 갖춘 분들이다. 그리고 그분들 대부분이 마음공부나 영성을 공부한 기간이나 경험에 있어서 나보다 앞섰으면 한참 앞섰지, 나보다 뒤늦으신 분들은 존재하지 않는다.

그럼에도 나는 그분들을 마주할 때, 그분들에게 "길"을 제시해드린다. 상담을 하고, 강의를 한다. 고작해야 서른 살도 안 된, 머리에 피도 덜 마른 놈이 무슨 알량한 인생 경험이 있어서 어른들을 대상으로 그렇게 한단 말인가? 이는 지혜가 "소유"되는 것이 아니기 때문이다. 그것은 내면의 깊고 무한한 바다에서 울려퍼지는 감응이고 물결이며 울림이되, 이것은 "나"의 개념을 이미 벗어나도 한참 벗어나 있다. 그러므로, 내가 그분들 앞에서 이야기를 할 때, "나"는 그저 관찰자에 불과하다. 내면에서 흘러나온 울림이 내 입과 머리를 통하여 언어로 개념화되어 흘러나와지는 것을, 나는 그저 지켜보고만 있을 뿐이다. "내가 하는 모든 일은 다 내 안에 계신 아버지께서 하시는" 일이다.

나는 이 사실을 너무나 명확하게 알고 있다. 그러므로 나는 아무것도 한 일이 없다, 라고 말할 적에, 그것은 절대 겸손 따위가 아니다. 그것은 그저 명확한 사실을 사실이라고 말할 뿐이다. 내가 한 일이지만, 내가 한 일이 아니다. 나로부터 이루어진 일이지만, 나로부터 이루어진 것은 단 하나도 없다.

이것을 그저 개념으로, 언어로, 지식으로, 책이나 이야기나 귀로 주워담아서는 아는 척하는 자와, 그것을 가슴 깊은 무한한 바다에서부터 공명되어 이야기하는 자는, 그 차이가 매우 크다. 그냥 큰 정도가 아니라, 문자 그대로, 하늘과 땅 차이만큼이나, 아니 그보다 훨씬 더 크다. 그 차이는 직접 목격할 수 있다. "나"의 "지식"을 말하는 자는, 본인이 인지할 수 없는 아주 사소한 곳에서부터, 자기 자신의 오만함과 어리석음을 만천하에 드러내는 실수를 저지른다. 그리고 그 실수는 반드시 여러 차례 반복된다. 왜냐하면 그것은 실수가 아니라 애초에 그 거짓된 자의 본성이고, 그의 어리석음이기 때문이다. 반면, "신"이 "지혜"를 말씀하시는 것을 그저 내 존재 안에서 지켜보는 자는, 설령 그것이 나의 입을 통하여 언급되고 드러났을 때 온갖 문제와 말썽이 생길 것을 구태여 짐작하고 알아서 두려워하면서도, 그것을 이야기하지 않고서는 못 배기는 것이다. 언어에는 생명이 없고, 말씀에는 생명이 있다.

나는 그 차이를 본다. 아니, 정정한다. 지금 시기에, 직접적인 체험으로, 내게 그것이 보여지고 있다. 그 보여짐의 의도는 무엇인가? 아마도, 신이 내게 예고하시는 것이고, 동시에 경고하시는 것이다. 예고라는 것은 본디 경고가 아니라 용서의 의미이나, 나는 다만 그것을 경고로서 받아들이겠다고 내 스스로 결심했다. 언젠가 나도 그렇게 될 것이다. 다만, 그렇게 될 적에, 오늘의 이 예고가 늦지 않게 떠오르기만을, 그럼으로써 닭 우는 소리를 듣고 내가 그것을 뒤늦게나마 깨우치고 지금의 자리로 돌아오기만을 바랄 뿐이다.

나는 길을 안내하는 존재다. 그러므로 나는 표지판이지, 길이 아니다. 길은 이미 존재한다. 그것도 모든 이에게, 거부할 수 없고 부정할 수 없는 확고한 방식으로 드러나 있다. 다만 나는 그 길을 처음 걷는 사람들에게 방향을 안내할 수 있는 수많은 표지판들 중 하나일 뿐이다. 아마 짐작컨대, 그리 성능 좋은 표지판은 아니었을 것이다. 그렇기에, 나는 내 스스로에게 더 많이 알아가는 것 대신에, 내가 모르는 것과 내가 서투른 것과 내가 모자란 것들을 더 이상 채우지 않음으로써, 인간인 나는 모자람을 경계의 증표로 삼기로 결심했다. 표지판은 휘황찬란할 필요가 없다. 오히려 표지판이 허름하고 낡을수록, 그 길이 그만큼 오랜 역사를 지녔음을 증명하게 될 것이다.

표지판이 자신을 스스로 길이라고 착각하면, 그 표지판 앞에 선 자들을 잡아두게 마련이다. 그러나 표지판이 스스로가 표지판에

불과하다는 것을 안다면, 그는 오히려 사람들이 자신에게서 떠나감을
기뻐할 것이다.

16.

홀로 신을 사랑하라

사람은 죽음을 앞뒀을 때, 진실과 거짓을 정확하게 판단할 수 있다.
사회적 시선, 관점, 효율, 먹고사는 문제, 기능, 능력주의, 이런 것들은
죽음 앞에서 한낱 부질없는 허영에 지나지 않으며, 죽음을
마주함으로써 진실로 자신이 지금 이 순간 무엇을 해야만 하는지,
무엇을 하는 것이 진실하다고 느끼는지를 확실하게 알 수 있다.
바야흐로, "내일 지구가 멸망하더라도 나는 오늘 사과나무를 심는
것이라는 말의 진실을 이해하는 것이다.

그리하여 나 또한 죽음을 앞뒀을 때, 사람들에게 마지막으로 전하고 싶은 딱 한 마디의 마음공부에 대한 말이 무엇이냐? 라고 사신이 내게 물었을 때, 나는 이렇게 답할 것이다. "그 누구에게도 의지하지 않고, 홀로, 신을 사랑하라."

집단이나 단체에 속하게 되면 늘 그렇듯이 필연적으로 사회성이라는 집단 최면과 군중심리에 휘둘리게 된다. 기억하라. 신의 이름으로 단 두세 사람만 모이더라도 신은 마땅히 그들 곁에 계시며, 그들이 원한다면 마땅히 산을 옮길 수 있다고 했다. 그러나 유감스럽게도 대부분의 사회에서의 조직과 군중 속에는 신이 계시지 않는다.

그러니 누군가에게 의지하여 신을 만나려고 하지 말라. 나 아닌 다른 모든 것들은 그저 필요에 따라 선택하는 도구이냐 아니냐의 문제로 여기라. 오직 철저히 나 홀로, 혼자서, 신을 마주하라. 그리고 그보다 더 중요한 진실은, 신이 당신을 사랑하는 것은 너무나 당연한 일이니 얘기할 필요가 없고, 그 반대로, 당신이 신을 사랑하는지를 돌아보라는 것이다.

모든 진리는 그것 하나로 함축한다. 진리를 사랑하라. 신을 사랑하라. 마치 오래 전 잃어버렸던 옛 연인을 찾는 것처럼, 마치 내 영혼의 가장 깊고 강렬한 파트너를 그리고 원하며 그에게로 이끌리는 것과 같이, 일상의 순간마다, 숨쉬는 순간마다, 신을 찾고, 신과 대화하고,

신에게 질문하고, 신에게 수다를 떨고, 신에게 편지를 쓰며, 그와 같이, 진리를 사랑하고 아끼고 마음에 품으라.

특히나 당신이 "어두운 사망의 골짜기"를 지남으로 인하여 신을 원망할 수밖에 없는 상황이나 때가 주어진다 하더라도, 오히려 그런 때일수록 더더욱, 신을 사랑해야만 한다. 나는 이것을 그저 관념적이거나 신학적이거나 교리적인 그저 그런 상투적인 말투로 하는 말이 아니다. 나는, 입에 발린 말 따위를 하는 것을 이 세상에서 제일로 싫어하는 사람이다.

그것은, "신과의 심리적 거리를 끊임없이 좁혀가는 과정"인 것이다. 그렇게 신을 원하고, 사랑하고, 늘 가까이 하는 자에게는, 반드시 신이 응답을 할 것이며, 진리가 그를 자유케 할 것이고, 나아가 그렇게 삶 전체가 크게 변화하고 성장하게 될 것이다. 어느 순간 뒤돌아보면 당신은 굉장히 많은 것들이 변화했음을 자각할 것이다.

이것이, 내가 남기고 싶은 단 한 마디의 문장이다. "오직 나 홀로, 신을 사랑하라."

17.

운명론

얼마 전에, 집에 자주 찾아오시는 분과 이런 대화를 나눈 적이 있다.
나는 그분에게 이렇게 말했다.

"운명론을 믿는 사람들이 괴로운 이유는, 운명론을 애매하게 믿기
때문이다."

그리고 나는 지금까지 사람들에게 상담이나 강의를 할 때, "벚꽃"에 대한 비유를 자주 들었다.

"4월 초쯤 되면 벚꽃들이 지기 시작하지 않습니까? 그 수천 개의 벚꽃잎들이, 각자 정해진 순간에, 정해진 궤도를 따라서 움직이다가, 정해진 위치로 떨어지는, 그 모든 사건과 현상들과 움직임들 하나하나가 전부 빠짐없이 신의 계획이고 운명입니다. 의미 없는 사건이나 현상은 존재할 수 없습니다. 다만, 우리 눈에 그 의미가 해석되지 않기에 우연처럼 보일 뿐입니다."

그렇다. 운명론을 믿는 사람들이 괴로운 까닭은, "내 마음대로 하고 싶은데 그렇게 하지 못해서" 괴로운 것이다. 그런데 정작 내 마음대로 하기에는 모든 것을 다 내가 책임진다는 사실이 두렵기에(자유는 곧 책임이다), 한편으로 정해진 운명을 탓해야만 하는 것이다.

일상 속 찰나의 모든 사건들과 현상들이 다 운명이다. 그 중 예외는 단 하나도 존재할 수 없다. 이것이 신에 대한 믿음이며, 진리가 한 사람의 내면을 자유케 하는 핵심이다.

18.
지식에 대한 집착 내려놓기

언어에 집착한다는 것은 곧 관념에 집착한다는 것이다. 그리고 관념에 집착한다는 것은, 실존하는 체험과 느낌보다 내 머릿속에 있는 무의식적 관념을 우선시한다는 뜻이다.

예를 들어, 산책하다가 *우연히*(사실, 이 세상에 우연이 아닌 일은 존재할 수 없다. 그러므로 모든 일이 다 필연이다) 예쁜 꽃 한 송이를 보았다. 그러나 대부분의 사람들은, 그것을 보고선 먼저 "꽃이다!"라고 생각하거나, 말한다. 즉, 내 눈 앞에 피어 있는 이 살아 있는, 실재하는, 이 꽃 자체는 중요한 것이 아니라, 그것을 보고 먼저 <꽃>이라는 언어와 관념을 연상하는 것이 우선시되어 있는 것이다. 그리고서는 *체험에 언어를 맞추는 것이 아니라, 언어에 체험을 맞추려고 한다.* 나는 <꽃>이라는 언어와 관념을 소유하고 있으므로, 내 눈 앞에 있는 이 꽃의 체험은 이미 내가 "알고 있는 체험"이라고 치부해버리는 것이다.

언어와 관념은 결국 어디에서 비롯되는가? 그것은 바로 어린 시절부터 받아들였던 무의식적인 지식들로부터 비롯한다. 내가 "당연한 것"이라고 인식하는 수많은 상식들, 정보들, 관념들, 사회적 기준과 선과 악에 대한 관념과 도덕과 윤리와 인간성에 대한 관념들이 그러하다. 사람은 그것들을 받아들여서는 무의식 속에 저장한다. 우습게도, 사람들은 지식을 자신들이 소유하고 지배할 수 있다고 착각한다. 그러나 실제로는 그 반대이다. *오히려 무의식적인 지식이 사람의 의식을 지배하고 조종하며 통제한다.* 그렇기에, 언어와 관념에 집착하는 순간, 나는 지배당하게 된다.

꽃의 예를 떠올려보라. 눈앞의 살아 있는 이 생생한 꽃의 아름다움을 보고서도, 제일 먼저 한다는 일이 <꽃>이라는 언어와 관념을 연상하는 일이지 않은가. *어떤 대상이나 현상을 바라볼 때 그것을 먼저 <인식>하고, <분별>하며, <정의definition>해야만 한다,* 라는 무의식적 사고회로가 순간적으로 나를 지배하는 것이다.

대개의 사람들은 바로 이 무의식적 사고회로의 메커니즘 자체를 <나>라고 동일시한다. 그렇기에 그때의 나는 자유가 아니라 통제이고 억압이며 괴로움이다. 따라서 부처님은 무아無我의 진리를 설하신 것이다. 괴로움은 <나>가 있기에 발생한다. 그러므로 괴로움은 곧 어리석음, <나>에 대한 왜곡된 인식 때문에 발생하는 환상일 뿐이다.

이 모든 것이 너무나도 우습지 않은가? 애당초 내가 이 세상에 태어날 때부터 가지고 온 지식이라는 건 존재할 수 없다. 엄마의 자궁에서 세상으로 첫 발을 내딛었을 때부터 지식을 가지고 태어난 사람이 존재할 수 있는가? 있다 하더라도 그들은 아주 특별한 예외적 경우일 뿐, 절대 다수의 사람들에게 있어 지식이란 학습된 것에 불과하다. 즉, 모든 지식들은 애당초 <내 것>이 아니라는 뜻이다. 그런데도 사람들은 지식과 나를 동일시함으로써, *자신의 지식이 부정당했을 때 곧 나 자신이 부정당한 것처럼 느낀다.*

이것이, 사람들이 논쟁이나 토론에서 자신의 의견이나 생각이 부정당했을 때, 분노하고 화를 내는 이유다. 이게 너무 우습지 않은가? 생각은 내가 아니다. 지식도 내 것이 아니다. 그것은 한 공간 안에 거주하는 일종의 하숙생이고 임차인일 뿐이다. 집주인에게 있어 임차인이란 돈만 잘 내고 문제만 안 일으키면 뭔 짓을 하든지 아무 상관이 없는 존재이다.

지식에 대한 무의식적 집착과 욕망이 사람을 사로잡을 때, 그는 대단히 비판적이고 논리적이며 분석적이게 된다. 그것은 어디에서 뿌리를 두고 있는가? 곧, 무의식의 가장 깊은 곳에 있는 공포와 두려움에서 비롯한다. 내가 마주한 대상이 나에게 해를 끼칠지 알 수 없기에 그것을 <인식>해야 하며, 또한 <분별>해야 하는 것이다.

이것을 위하여 지식이라는 <기준>을 자신이 소유해야 하고, 따라서 <기준>과 <나>를 동일시하게 되는 것이다. 그러므로 곧 *지식에 대한 집착, 다시 말해 "내가 옳다"는 고집과 자만심은 무의식에서의 열등감과 결핍, 죄의식에서 비롯한 표현*이다.

바로 이 부분이, 이른바 <깨달음>의 핵심이고 근원이다. <산은 산이요, 물은 물이다>라는 저 유명한 가르침 역시 이것, 그러니까 현존하는 체험과 느낌을 우선시하는 것이 아니라 내 머릿속의 언어와 관념을 우선시하는 이 왜곡된 존재방식 – 메커니즘 – 을 다시 깨우치라는 의미이다. 존재는 체험이다. 체험이 아닌 모든 것들은 존재하지 않는다. 관념은 내 머릿속에만 있는 것일 뿐, 실재하지 않는다. 실재하는 모든 것들은 지금 이 순간 내 눈앞에 있다. 다시 말해, 지금 이 순간 내 눈앞에서 드러나고 비춰지고 체험되지 않는 것들은 모두 실재하지 않는 가상이다.

그렇기에 *실재하는 것들은 언어나 관념으로서 정의할 수 없고, 규정할 수 없고, 담아낼 수 없다.* 내가 <꽃>이라는 이름을 불렀다고 해서, 꽃의 언어적 정의와 관념을 떠올린다고 해서, 내 눈앞에 생생하게 살아 있는 생명으로서의 꽃을 어찌할 수는 없는 것이다. *실재하는 꽃은, 관념으로서의 꽃과는 전혀 다른 존재이다.* 그 둘은 같지 않고, 같을 수가 없다. 이것을 가슴으로 체험하고 납득하는 순간, 지식에 대한 모든 집착에서 벗어날 수 있다.

이해되는가? 현존하라, 지금 이 순간을 살라, 그러한 메시지들은 곧, 오직 체험 속에만 생명 - 에너지 - 이 있으며, 머릿속으로 떠올리는 관념, 생각, 논리, 분석, 이성, 이론, 지식...... 과 같은 것들에는 생명이 없다는 것을 지적하는 말이다. 사람은 너무나도 당연하게 실재하는 체험보다 무의식적 관념을 우선시한다. 간단하게 실험해보자. 지금 이 순간, 자신의 눈앞에 현존하는 것들을 살펴보라. 내게는 창문을 통하여 쏟아지는 햇빛과 화분의 꽃들이 보인다. 이제, "나는 내 생일에 태어났다."라는 지식(관념)을 떠올려보라. 현존 속에서 저 지식의 옳고 그름을 찾을 수 있는가? 오히려, 현존을 기준할 때, <나는 태어난 적이 없다!>라는 결론에 도달해야만 한다. *왜냐하면 "1990년 0월 0일 00시 00분 00병원에서 태어났다"라는 것은 데이터 상의 기록과 기억일 뿐, 내 눈앞에 실재하는 체험이 아니기 때문이다. 실재하는 체험이 아닌 모든 것들은 존재하지 않는다. 따라서, 나는 태어난 적이 없다. 마찬가지로, 나는 영원히 죽지 않을 것이다.*

이것은 처음에는 굉장한 저항감을 불러일으킨다. 그리고 이해도 되지 않을 것이다. 그러나 이것이 온전히 이해되는 순간, 모든 지식은 그저 지식에 불과함을 깨달을 것이며, 그때, 곧 <진리(에너지)가 너희를 자유케 하리라>는 말씀의 본질을 깨달을 수 있을 것이다. 선지자께서 말씀하신 말의 언어적 내용을 분석함으로써 자유를 얻을 수는 없다. 그것은 열등감에서 비롯한 환상일 뿐이다. 오히려 진리의 말씀들을 표지판과 나침반 삼아, 그 말씀이 가리키는 에너지 그 자체와 교감하고 연결되어야만, 비로소 마음의 온전한(영원한) 자유와 평화를 얻을 수 있다.

그러므로, 내가 알고 있는 모든 지식, 관념, 정의들을 낱낱이 파헤치고 의심하라. 의심하고 또 의심하여, 그것이 과연 "그 자체로 온전한 진실"인지를 확인하라. 무언가에 근거해서 진실이라거나, 원래 당연히 그런 것이라거나, 사회적으로나 이미 다른 사람들이 기록해놓은 지식을 근거로 그것이 진실이라고 판단하지 말라. 오직 그것이 그 자체로, 다시 말해 철저히 나 혼자서 *나의 내면 안에서 진실이라는 것을 발견했을 때에만, 그것이 곧 진실일 수 있다. 내 안의 내면의 충만한 에너지를 통하지 않는다면 결코 영원한 진리에 도달할 수 없다.* "나는 길이요 진리요 생명이니, 나로 말미암지 않고서는 아버지께로 이를 자가 없느니라"고 가르치신 예수님의 말씀을 기억해보라.

신은 곧 상위 차원의 에너지이다. 그것의 다른 이름은 생명이요, 충만함이고, 빛이고, 사랑이고, 진리이고, 신성이고, *헤아릴 수 없고 형언할 수 없고 무한하고 영원한 기쁨이고 평화고 행복이다.* 이것은 언어로는 가리킬 수도 없고 전달할 수도 없고 표현할 수도 없고 공유할 수도 없다. 사실 내 마음 같아서는 가능하기만 하다면, 이렇게 애매하고 불완전한 언어로 전달하는 것보다 USB 선을 꽂아서 필요한

사람에게 직송하고 싶은 심정이지만, 미래에 그런 기술이 발견되기 전까지는 유감스럽게도 이렇게 언어를 통할 수밖에 없음이다.

모든 "존재하는 것"들은 다 이 생명, 에너지, 신성으로 인하여 존재할 수 있는 것이다. 이것은 어떤 생물학적 발생 과정이라든가 역사적 과정으로서의 창조론이 아니다. 그런 건 노골적으로 말해서, "유치하다." 그러나 높은 의식 수준에서, *모든 존재들은 신이 부여한 존재 의미를 지니고 있고, 모든 일어났던, 일어난, 일어날, 일어날 수 있는 사건과 현상들은 전부 다 하나도 빠짐없이 신의 계획이고 뜻이고 창조이다.* 이것을 에너지의 관점에서 이해하면, 보다 이해가 쉬울 것이다.

나는 지식이나 관념에서부터 해방될 적에, 눈앞의 현존하는 것들과 나의 지식을 비교함으로써 내가 <소유>하고 있다고 믿었던 이 지식이 얼마나 보잘것없는 것인가, 를 깨달을 수 있었다. 생명과 에너지와 신성을 가진 것들은 우리들에게 감동을 준다. 꽃, 나무, 하늘, 구름, 바람, 햇빛, 흙, 풀잎...... 그것들은 그 자체로 충만한 에너지로 빛나며, 모든 존재들은 신의 창조물이요 신 그 자체이다("창조된 창조자다 Created creater").

그러한 이 완벽하고 아름답고 충만한 내 눈 앞의 꽃 한 송이와 비교해서, 내가 지금까지 살아오면서 학습하고 받아들인 이 모든 지식들을 다 쌓아놓더라도, 아니 *인류가 지금껏 형성하고 쌓아왔던 모든 지식들을 다 무게추에 올려놓더라도, 당연히 비교할 수 없이 눈앞의 이 꽃 한 송이의 생명으로서의 아름다움과 충만함을 도저히 이길 수 없는 것이다. 이것은 오직 내면의 체험으로서만 이해할 수 있는 말이다.* 그러므로 체험이 없는 자는 듣지 못할 것이다.

이와 같은 체험으로 인하여 진리 그 자체와 연결되고 나면, 왜곡되었던 존재 방식(현존보다 관념이 우선이라는)이 그 즉시 깨뜨려지고, 박살나고, 산산조각 나게 된다. 그리되면, 너무나 당연했던 일상들이 너무나 다른 방식으로 보이고, 들리고, 느껴진다. 이것이 곧 영원히 잃어버리지 않을 자유이고, 평화이고, 행복이다. 이것이 곧 영생이고, 부활이며, 생명이고, 우리가 걸어가야 할 길이다.

물론 이와 같은 글들은 전부 다 내가 나의 체험을 바탕으로 가르침들을 이해한 주관적인 견해를 쓴 것이다. 글을 끝마치면서, 나는 비록 논란의 여지가 있을지라도, 이 말을 꺼냄으로써 마무리를 지을 수밖에 없다.

귀 있는 자는 들을 것이다.

19.

안내와 여행

모든 영적 탐험과 마음공부의 본질은 "되돌아가는 길"이다. 처음
여행을 시작했던 곳으로 되돌아가는 것이며, 고향과도 같은 바로
그곳, 내가 태어나기 전에도 있었고 죽음 이후에도 있을 바로
그곳으로 되돌아가는 것이다. 그곳이 어디인가? 그곳은 내 마음속에
있으면서 동시에 이 우주 전체보다 더 크고 선명한 곳이며, 그곳은
내 마음속 깊은 곳에 있으면서 또한 저 하늘보다도 더 높은 곳에
있다.

그곳은, 결국, "신"이다. 신성이요, 아름다움이고, 형언할 수 없는 충만함이며, 표현하거나 가리킬 수 없는 드러나지 않는 신의 뜻이자 감추어진 의미요, 모든 은유들의 고향이고, 깨달음, 해탈, 열반이며, 진리이고, 지혜이다. 이 모든 이름들은 결국 하나이다. 하나인 것에서 나왔으며, 하나인 것으로 되돌아가는 여러 개의 길이다.

참된 신을 만난 자는 그 즉시 형언할 수 없는 충만함으로 휩싸이게 되며, 그것이 그의 모든 것을 바꾸게 될 것이다.

마음공부나 영성의 진리는 바로 이것에 다름아니며, 이 외에 다른 그 어떠한 종착역도 존재하지 않는다. 다만, 사람마다 여기에로 이르는 길은 제각각이다. 누군가는 이것을 곧장, 쉽게, 재미있게 설하는 자도 있을 것이며, 또 누군가는 나처럼 타로라는 매개를 통하여 길고 재미없고 어렵지만 그 의미를 깊이 탐구하도록 안내하는 자도 있을 것이다. 그렇기에 그것은 또한 사람마다 신에게로 이르는 탐구를 시작하게 되는 동기와 때와 조건이 제각각이라는 의미이기도 하며, 또한 그는 출발하기도 이전에 이미 도착한 자이므로, 그 누구도 감히 그것을 재촉할 수 없다.

나는 안내자이다. 이러한 글을 쓸 수 있는 자격이 주어졌음에 감사하는 사람이다. 또한 이 자격이 내 노력으로 얻은 바가 아무것도 없음을 인정하고 또 고백하는 기쁨을 아는 자이다. 그렇기에 모든 재능을 가진 자들은 오직 신께서 그 재능을 주실 적에, 어떠한 신의 뜻을 펼치도록 선택받은 자라는 것을 기억해야 할 것이며, 그로 인하여 얼마나 많은 생명들이 자신들의 참된 생명의 빛에 눈뜨고 기뻐할지를 생각해봐야 하는 것이다. 참된 안내자는 섬김받는 자가 아니며, 참된 안내자는 결코 스승이 될 수 없으며, 참된 안내자는 신의 종으로써, 섬기는 자이다. 이 세상에 진정한 스승이란 오직 내 안의 신성, 빛, 아름다움, 충만함 오직 그것뿐이기 때문이다. 나는 내가 안내자에 불과함을 잘 안다. 그리고 그것에 기뻐하며 감사할 줄 아는 사람이다.

그러니 내가 신에게 바랄 것은 아무것도 없다. 신께서 내게 "이 마음"을 열어주셨는데, 달리 무엇을 더 바랄 수 있으랴!

명심하라. 여행에서, 가이드(안내자)는 고객들의 편안한 여정을 위한 시종에 불과하다. 떠올려보라. 여행에서 가이드가 주인인가, 아니면 돈을 지불하고 가이드를 고용한 여행객들이 주인인가? 이는 당연한 이치인 것이다. 이 세상 그 어떤 스승이라도, 자신을 찾아온 "손님"보다 더 우위에 있는 스승은 존재할 수 없다. 참으로 깨어 있는 자는 이 사실을 잘 알 것이다. 스승은 섬김받는 자가 아닌, 섬기는 자이며, 그 말은즉, 신을 모르고 신에게서 멀어졌다고 여기는 이 한 영혼이야말로, 스스로 신으로부터 멀어지고자 하는 그 얼마나 위대하고 경이로운 결정을 내린 영적 존재인지를 볼 수 있는 것이다. 당신은 여행자이다. 그리고 여행자라는 그 사실로 말미암아, 당신이 이것을 알든, 모르든, 이미 당신 자체가 깨달음이고, 진리이며, 신이다.

그렇기에, 당신이 직접 여행자로서, 당신의 안내자를 선택하라. 나를 신에게로 안내해줄, 가이드를 고용하라. 그리고 가이드의 안내가 시원찮거나, 나에게 맞지 않다고 여겨진다면, 얼마든지 당신에게 맞는 가이드를 교체하면 될 뿐이다. 영적 스승이란, 선생이란, 지도자란, 오직 당신의 여행길을 좀 더 수월하게 인도해줄 가이드에 불과할 뿐이다. 심지어 당신은 가이드 없이 직접 여행을 기획하고 떠날 수도 있다. 그 또한 얼마든지 가능한 일이다.

그러므로 안내자들은 기억하라. 안내자로서의 나에게 주어진 고유한 "길"이 무엇인지를, 여행자들에게 보다 확실하고 선명하게 제시하고 드러내야만 한다는 것을. 진실로 이르노니, 오직 이 세상에서 신의 뜻만이 "감추어질" 수 있으며, 신이 아닌 모든 존재들은 자신이 직접 체험하고 느끼고 교감한 진리를 있는 그대로 "밝고 선명하고 순수하게 드러내어야만" 한다는 것을. 나는 신이면서 신이 아니며, 나는 아이이면서 또한 신이기 때문이다. 여행자들이 충분히 선택하고 고를 수 있도록, 안내자로서의 나의 고유한 정체성을 드러내는 것, 그것은 또한 중요한 사명일 것이다.

20.

죽음과 진실

모든 거짓되고 허망한 것들은 죽음 앞에서 그 실체가 즉시 드러나는 법이다. 죽음 앞에서 가치와 의미가 사라지는 것들은 진실한 것이 아니다. 그리고 모든 진실하지 않은 것들은 <환상>일 뿐이다.

이것은 즉시 실험으로 확인할 수 있다. 내게 있어 무언가가 진실한지 아닌지를 살펴보는 제일 간단한 기준은 죽음이라는 필연적 끝을 선형적 시간 구조 내에서 의식(자아)이 형성된 초점 단위로 임의 설정하는 것이다. 쉽게 말해, 내일 내가 죽는다고 생각해보라. 일주일, 한달, 6개월, 1년 뒤에 내가 죽는다고 생각해보라. 아마도 어떤 일은 하루 뒤에 죽음을 설정해야 할 것이고, 또 어떤 일은 1년 뒤에 죽음을 설정해야 할 것이다.

다만, 명심하라. 그 어떤 일이더라도 설정할 수 있는 죽음의 유예기간은 최대 1년이다. 대개는 하루, 일주일, 한달을 가정해보면 쉽다. 대다수의 직장인들은 내가 왜 일하는지, 내가 하는 일이 나의 자아실현과 무슨 상관이 있는지도 모른 채로 그저 <먹고 살아야지>라는 이른바 '먹고사니즘'의 유혹에 빠져서는 진실이 무엇인지도 모른 채 허우적대고 있다. 그들이 꿈에서 깨는 제일 빠른 길은, 죽음을 명상하는 것이다. 한달 뒤에 나는 죽는다. 그럼에도 그 먹고 사는 일이 내 남은 한 달에서 더 이상 중요한가?

이는 어떤 사람이나 사건, 상황 등을 대하는 나의 태도나 판단에서도 똑같이 적용할 수 있다. 부모의 입장에서 자식이 공부를 못해서 낮은 성적을 받은 것은 문제가 아니다. 부모인 내가 한 달 뒤에 죽는다. 그럼에도 자식의 성적표가 문제인가? 아마 그렇지 않을 것이다. 그 한 달 동안 부모로서 내가 자식에게 어떤 말을 해야 할지, 함께 어떤 시간을 보내야 할지는 모두가 자명하게 알 수 있다. 이것이 죽음이라는 필연적 끝이 강제적으로 진실과 거짓을 판명하는 가장 강력한 원칙이다.

더 나아가서, 이 모든 것을 축약해보면, <나>라는 존재 자체가 죽음 앞에서 허망한 것에 불과하다. 즉, 그동안 거짓된 존재를 진실이라고 굳게 믿어왔던 것이다. 내가 생각하는 <나>라는 자아, 에고의 개념은 죽음이라는 필연적 끝을 건너갈 수 없다. 그것은 자명하다. 나는 죽음으로서 완전히 끝난다. 나의 육체적 생명도, 내 마음도, 내 생각도, 내 사유도, 내 과거도, 나라는 인식 자체도, 죽음을 건널 수 없다.

그러므로 오직 죽음 앞에서도 그 빛을 잃지 않는 것들만이, 오히려 죽음 앞이기 때문에 더더욱 빛을 내는 것들만이, 진실한 법이며, 그 진실한 것들을 통해서만 한 존재는 신에게로 이를 수 있는 법이다. 사람들은 대개 죽음 앞에서 허망한 것들을 진짜라고 믿고 매달리고 있으며, 그렇기에 부질없는 것을 가지고 토론하고 논쟁하고 부딪히면서 헛되이 삶을 보낸다. 그러한 이들을 마주할 적에는 그들을 일깨우려고 노력하지 말라. 헛되이 시간을 낭비하는 꼴이다. 차라리 전적으로 그들의 편을 들어줘라. 어차피 <깨어난 자>에게 <내> 생각, 이란 건 무의미하니.

내 안에 신성이 존재한다는 것, 오직 <나>라는 개념이 없는 전체의식으로의 확장과 체험만이 유일하게 가치 있는 것이라는 것, 예수님은 오직 내 안에 계시며 바로 그분으로 말미암아 하나님과 내가 하나로 연결될 수 있다는 것, 나아가 모든 영적 진리들은 죽음 앞에서도 그 가치를 잃어버리지 않고 더욱 빛이 날 수 있을 때만이 진실하다. 만약 내가 그동안 교회의 가르침을 평생 믿어왔는데도, 당장 한 달 뒤에 죽는다고 생각해보니 교회를 가는 것, 신을 찬양하는 것, 그러한 것들이 무용하게 느껴지고 허망하게 느껴진다면, 당신의 <신>은 교회가 아닌 다른 곳에 있는 것이다.

그렇기에 오직 죽음을 받아들인 자만이 부활할 수 있으며, 부활하여 새로운 생명을 얻은 자만이 죽음까지도 초월하여 영원히 살 수 있는 것이다. 이것은 전혀 복잡하거나 어려운 이야기가 아니다. 너무나도 쉽고 자명하고 명확한 것이다. 내 안에서 모든 거짓된 것들을 하나씩 버리고 버려나가다 보면, 최후에 버려야 할 최종적인 거짓은 바로 <나>라고 하는 거짓 자체이다. 그것까지도 버리고 나면, 곧 그 너머에 있는 신이 보일 것이다. 따라서, <나>를 버리지 못한 자는 아무리 신을 입에 담는다고 한들 아무 의미가 없는 짓에 불과하다.

21.
최후의 관문

만약 당신이 진리를 목표로 하여 지금껏 헤매고 달려왔다면, 다음의
질문을 최종적으로 넘어서야 할 것이다.

"당신은 지금껏 덧없고 부질없는 현상계에서 오직 진리만이 가치
있고 진실한 것이라고 여기며, 진리 아닌 다른 모든 것들을 버려가며
이 자리에 이르렀다. 그러므로 이제 당신에게 남은 것은 오직
진리뿐이다. 그런데, 이제 당신에게 남은 그 하나의 진리까지도 전부
버릴 수 있겠는가?"

"만약 그 진리마저 진실하지 않다고 확인된다면, 당신은 그때에도 길을 잃지 않을 수 있겠는가?"

"신이 당신을 사랑하지 않는다고 하더라도, 여전히 당신은 신의 뜻을 아끼고 사랑하고 실천할 것인가?"

"지금껏 당신이 알아온 모든 지식들이 다 무용하고 덧없는 것임이 밝혀졌다. 그런데 이제, 당신이 알고 있는 바로 그 영적인 세계에 대한 지식과 이해마저도 전부 덧없고 부질없는 것임이 밝혀진다면, 그때에도 당신이 가진 지금의 이 믿음과 빛은 흔들리지 않을 것인가?"

진리를 추구해온 사람이 넘어야 할 최후의 관문은, 바로 진리 그 자체마저도 넘어서는 것이다. 그는 받아들여야 한다. 진리란 약과 같은 것이며, 따라서 병자에게만 약은 의미 있다는 사실을. 지금껏 자신은 병자였으며, 그랬기에 진리와, 그 진리의 계시자를 동경하며 쫓아왔다는 것을. 그러나 당신이 진리 자체와, 그 진리의 계시자를 동경하고 선망하고 따르는 이상 영원히 당신 자신은 병자 신세를 벗어날 수 없다는 것을.

신을 만나고자 지금껏 모든 것을 버리고 온 사람이라면, 마침내 신을 만나기 위해서 마지막으로 버려야 할 단 하나는, 신마저도 버릴 수 있는가, 하는 것이다.

나는 몇몇 정보들과 단서들을 통하여, 이 최후의 질문을 넘어선 자와 그렇지 못한 자 사이에는 어떠한 명확한 차이점이 존재한다는 것을 확인한다. 그리고 그 확인으로 말미암아, 나는 이 최후의 관문이 앞으로의 시대에서 수많은 사람들에게, 특히 지금껏 <영성>이라는 가장 강력한 환상 속에서 살아왔던 사람들에게 가장 확실한 시험대가 될 것이라고 확신한다.

나는, 최후의 관문을 앞두었는가? 그리고 그 관문을 넘어설 수 있는가?

22.

오직 체험으로

나의 순결했던 그 첫 경험의 순간에서부터 지금까지 이르는 내면의
맑고 깊은 샘물의 시작이요 끝이며, 처음이자 마지막인 바로 그것은
다름아닌 체험이었다. 그 살아 숨쉬는 생생한 체험 앞에서, 그 존재
전부의 체험 앞에서, 오직 살아 있음에 대한 경이로움에 감탄하는
그 순수한 에너지와 교감하는 그 순간 앞에서, 언어란, 말이란,
관념이란, 이다지도 열등하고 형편없는 것에 지나지 않은가.

언어라는 것이, 고작해야 이 "꽃 한 송이조차도" 담아낼 수가 없지 않은가. 하물며 그럴진대 언어가 감히 신을 담아낼 수 있겠는가!

부디 호소하니, 언어에 속지 말라. 말에 집착하지 말라. 언어란, 말이란, 단 진리의 충만함의 단 1g도 담지 못함이니. 그대가 어떤 종교에 속해 있든, 어떤 신을 믿든, 무엇을 의지하고 따르든 간에 상관없이, 나는 그대가 믿는 것을 진실로 믿을 것이며, 그대가 찬양하는 신 앞에서 함께 찬양하고 기도할 것이며, 그대가 추구하는 깨달음을 경외로운 마음으로 함께 추구해나갈 것이니!

오직 체험이라, 오직 체험, 체험, 느껴지는 바로 그것, 내 안에서 살아 숨쉬는 너무나도 선명하고 아름다운 바로 그것, 그것이 시작이고 끝이며, 전부라! 그것에 이른 자는 언어라는 것이 얼마나 형편없는지를 잘 알 것이니, 그는 마침내 언어의 형편없음마저도 사랑하게 될지라.

23.
형언할 수 없는 아쉬움

진리를 아는 사람의 말은 참으로 듣는 것만으로도 내 마음을 열리게 하고, 감동스럽게 하고, 충만하게 한다. 왜냐하면 모든 진리는 하나로 통하기 때문이다.

그런 '말'일지라도, 말은 말일 뿐이다. 말로써는 전달되지 않는, 말과 비교할 수 없을 만큼 깊고 넓은 진리가 존재하며, 말이 안내할 수 있는 지점은 오직 빙산의 일각일 뿐이고, 개념이고 지식이고 이론일 뿐인 것이다. 그러나 그 지식이고 이론인 지점에서부터 마음속 깊은 곳의 진실에 이르기까지의 길은 오직 스스로 나아가야만 한다.

나의 체험과 진실을 다른 사람들에게 전할 적에도 마찬가지이다. 이전에 내가 얻은 응답을 새삼스레 다시 되새긴다. 내 나름대로 강의를 열심히 준비했고 최선을 다했는데도 왜 이렇게 아쉬움이 느껴질까? 그 질문에 대해서, 내가 발견한 진실은 "신의 뜻은 본래 드러나지 않는 것(해석되지 않는 것)이니, 말로써는 모든 것을 다할 수 없는 것이 당연한 일"이라는 것이었다.

예전에, 나는 그에 대해서 "내가 강의하려고 하는 것을 온전히 내려놓고, 내 안의 신에게 온전히 맡기는 것만이 유일한 길"이라는 답을 얻었었다. 그리고 실제로 그 다음 날, 나는 너무나도 완벽한(은혜로 충만한) 강의를 했던 거였다. 다만 지금에서 돌이켜보니, 나는 그것을 "보답"이라고 여기고 있었다. 내가 신에게 모든 것을 맡기는 대가로서, 신은 나에게 "만족감"이라는 가치를 지불해야만 한다고 여겼던 것이었다.

오늘, 나는 이 사실을 다시 되새기면서 다른 마음가짐을 갖게 된다. 매 강의가 끝날 때마다 아쉬움은 늘 있다. 좀 더 진실하게 말하지 못한 것 같다는 느낌, 말로써 이 진실함을 온전히 다 표현하지 못한 것 같다는 기분......

그런데, 나는 왜 그 아쉬움으로부터 "벗어나려고" 하는가? 그 아쉬움을 왜 "없애려고" 하는가? 그것은 곧, 내가 나의 말로써 신의 뜻을 완전히 다 옮길 수 있다고 믿는 대단한 착각이요, 오만이 아닌가!

그러니 매 강의 때마다 아쉬움이 남는 것은, 나로 하여금 다음번의 만남이 찾아왔을 적에 이 진실된 마음을 잃지 말라는 계시요, 더 나은 길을 제시하고자 하는 섬기는 자로서의 마음가짐이니, 오히려 아쉬움이라는 것은 신이 내게 주시는 큰 선물이 아닌가! 그 속에서 나는 더 성장하고, 더 나은 "안내자"가 될 수 있는 것이다.

이와 같이, 사람은 늘 인간의 시선과 기준에서 신의 뜻을 오해하고 곡해하고 왜곡하고야 만다. 그러니 한 번 깨어난 자라고 할지라도, 끊임없이 신과의 대화와 소통을 통하여 응답을 얻고, 인간의 시선에서부터 신의 시선으로 옮겨가고 깨어나야만 하는 것이다. 그랬을 때, 거기에 자유가 있고, 평화가 있고, 행복이 있기 때문이다.

24.
신의 이름으로

나는 열등하고 의심 많고 끊임없이 남과 나를 비교하며 죄의식에 시달리는 한낮 인간일 뿐이다. 이 사실은 영원히 변하지 않는다. 다만 사실에 대한 이해만 달라질 수 있을 뿐이다.

그러므로 나의 이름으로는 그 어떤 선도 실천할 수 없으며, 그 어떤 악도 구원할 수 없다. 그러나 생각해보라. 만약 악을 구원할 수 없다면, 선이 존재할 가치가 있는가? 내가 나를 스스로 악하다고 평가함으로써 선을 실천하고 행동에 옮길 수 있다면, 차라리 그건 좀 더 나은 방향일지도 모른다. 그러나 나는 그렇게 하고 있는가? 내 자신의 열등감과 결핍과 욕망과 죄의식에 파묻혀 아무것도 하지 못하고 있지 않은가.

그러니 이제는 관점을 달리해야 한다. "나의 이름으로"는 아무것도 할 수 없다. 그 어떤 변화도 만들어낼 수 없다. 오히려, 나의 이름으로 행하는 모든 것들은 더 악화되고 더 퇴보할 따름이다. 그게 에고의 실체이다.

그러므로 이름을 바꾸어라. 신의 이름으로. 내면에서 밝게 빛나는 신성의 이름으로. "이름"이라는 건 언어를 가리키는 게 아니다. 언어는 이름이 아니다. 이름이란, 느낄 수 있고 체험할 수 있고 교감할 수 있는 어떤 초월적 존재를 내가 (체험으로써) 이해하고 있고, 알고 있고, 부를 수 있다라는 증명이다.

신의 이름으로, 선은 사랑하고 악은 용서하라. 나 자신에 대해서도, 선한 부분은 사랑하고 악한 부분은 용서하라. 세상에 대해서도, 심지어 인간으로서는 도저히 용납할 수 없는 대상에 대해서까지도, 선은 사랑하되 악은 용서하라. 이것은 나의 이름으로는 불가능하다. 그러나 신의 이름으로는 가능하다. 그 위대한 변형을 단 한 번이라도 체험할 수 있다면, 그는 자기 존재와 세상을 바라보는 인식이 완전히 변화할 것이다.

인간으로서의 나의 시점과, 신의 시점은 분명히 다르다. 그것은 마치 하늘과 땅과 같고, 우주 전체와 먼지 하나와도 같으며, 빛과 어둠과도 같고, 혹은 상상할 수 있는 그 무엇이라도 그것을 가리키거나 표현할 수 없다. 그러나 그 변화와 차이를 당사자는 분명히 느낄 수 있다. 신은 결코 애매하거나 추상적이거나 모호한 게 아니다. 만약 그렇게 느낀다면, 그건 그대가 아직 신을 만나지 못했음이다. 신은 내면 안에서 너무나도 선명하고 확실한 무언가이다. 그 선명하고 확실한 밝은 빛이, 충만함이, 경이로움이, 나의 모든 죄와, 어둠과, 죽음으로부터 즉시 영원한 생명을 줄 것이다.

25.
선문답

깨달은 사람의 말은 "듣는" 것이 아니다. "감상"하는 것이다. 지혜로운 분들의 강의나 말씀들은 "읽는" 것이 아니다. 역시 마찬가지로, 그저 가만히 "듣는" 것이다. 마치 가사가 없는 한 편의 음악을 듣는 것처럼.

그분들은 언어로서 형언할 수 없는 것들을 가리키기 위하여 언어를 마치 음표처럼 사용하고 있는 것이다. 그러므로 음표 하나 하나의 의미와 어떤 교리적, 신학적, 철학적 구조 따위를 해석하느라고 쓸데없는 짓을 할 필요는 없다. 물론 그런 시도를 하면서 읽어도 뭐라고 말리진 않겠으나, 결국엔 그러한 방식을 통해서는 영원히 자유를 얻지 못할 것이다. 아, 오해하진 말라. 이것은 저주나 원망이 아니다. 그저 눈에 보이는 사실을 이야기했을 뿐이다. 나무 위에서 물고기를 잡으려고 한다면, 영원히 물고기를 잡지 못할 거란 건 뻔하지 않은가.

그저 존재하라. 그저 들으라. 마치 꽃을 볼 때처럼, 어느 햇볕이 따뜻한 봄날에 공원 의자에 앉아 눈을 감고선, 봄이 간지럽히는 소리를 만져보는 것처럼. 깨달은 사람의 말과 음성을 들을 땐 그와 같이 대하라.

이것은 아주 사소한 차이이기도 하지만, 아주 위대한 비밀이기도 하다. 귀 있는 자는 들을 것이다. 바람 한 점 불지 않는 봄날의 따뜻함을 즐겨라. 그러나 그 다음 순간엔, 서늘한 미풍에 담긴 봄의 향기를 즐겨라. 전자를 즐겼다고 해서 후자를 지양해야 할 하등의 이유가 없으며, 전자를 즐기지 않았다고 해서 후자를 즐겨야 할 하등의 명분도 없다. 마음이 어린아이와 같이 순수한 자는 이 말의 의미를 알 것이다.

모든 진리의 가르침들은 언어적 의미가 아니라 그 음성 자체에 내재한다. 그것은 언어가 아니다. 문장이나 이론이 아니다. 음성에 담긴, 그 존재의 깊은 곳의 근원의 에너지의 파동이다. 그 파동 자체를 느껴라. 당신이 평생 책 한 권 읽지 않은 탓에 그 음성의 문자적 의미의 아무것도 이해하지 못한다고 해도 아무런 상관이 없다. 깨달은 자는 오히려 책 읽은 자의 명석함보다, 책 읽지 않은 자의 순수함을 더 사랑할 것이니.

이것이 진정한 선문답이다. 신과의 침묵의 선문답.

26.

밤하늘의 별이 아름답듯이

별이 유난히 아름답다는 것은, 그날따라 유난히 어둠이 깊다는 뜻이다.

영성이란 무엇인가? 지혜란 무엇인가? 그것은 곧 밝음이다. 그러나 그것은 한낮의 태양과 같지는 않다. 인간의 지식과 언어와 관념이란 그 한낮의 태양과도 같아서, 이 세상 모든 것을, 심지어 자기 자신에 대해서조차도, 모두 다 "안다"라는 망상 속에 빠트리게 된다. 그 망상 속에서, 결국 한낮의 밝음 너머에 존재하는 희미한 별들의 아름다움을 영원히 알지 못하게 만든다.

별이 아름답기 위해서는 반드시 어둠이 깊어야만 한다. 진리와 지혜와 영성이 아름답게 이 세상에 알려지기 위해서는, 이 세상에 어둠이 깊어져야만 한다. 그 어둠이란 무엇인가. 그것은 곧 물질적 가치, 세속적 가치의 몰락이다.

시간이 흐를수록 점점 더 물질이라는 견고한 성은 무너질 것이다. 인공지능이 등장함으로 말미암아 이제 머지 않아 대부분의 사람들은 직장에서 일자리를 잃어버릴 것이며, 인간 본성의 견고한 틀이자 오랫동안 인류 제국의 위대한 깃발을 펄럭였던, 이른바 플라톤 이래의 "이성주의"와 그 맞은편의 "감성, 예술성" 역시 점령당할 것이다. 눈에 보이지도 않는 데이터 쪼가리 하나를 운 좋게 손에 쥔다면 평생을 숨만 쉬고 돈을 모아도 갖지 못할 것들을 갖게 만들며, 이는 곧 노동의 가치를 땅바닥으로 떨어뜨리게 만들 것이다.

어둠은 이것이다. 세속이 몰락하고, 물질이 땅에 떨어지면, 이제 사람들은 길을 잃을 것이다. 유감스럽게도 영성에 일찍 눈을 뜬 사람들은 아주 소수에 불과하기에. 내가 이렇게 어린 나이에, 영성에 눈을 뜬 것은, 내가 잘나서가 아니라, 단언컨대 내가 잘난 것은 단하나도 없으나, 오직 신께서 나를 선택하시고, 앞으로 나로 하여금 아버지의 뜻을 펼치시라 계획하고 계시기에 이루어진 것이다. 그렇지 못한 대다수의 "양"들은 이제 헤매일 것이다.

슬프게도, 그 "어둠"이란, 세속과 물질을 넘어서 종교에까지도 영향을 미칠 것이다. 오늘날 이미 기성 종교들은 물질성의 타락에 힘입어 신께서 내려주신 영광을 스스로 짓밟기에 이르렀으며 (그들은 예복을 입고 신성한 척하나 뒤에서는 말로 성도들을 꼬드겨서 그들을 지배하려는 욕망을 신에 대하여 숨기고 있다, 성직자들의 성범죄 사례가 이 지구상에 단 한 건이라도 존재한다는 것이 얼마나 통탄할 노릇인가), 따라서 양들은 물질이 몰락한 시대에 이제서야 대다수의 사람들이 종교와 영성에 눈을 돌릴 것인 바, 유감스럽게도 어둠은 이 종교와 영성에도 내려질 것이니, 거짓된 안내자와 가짜 스승들이 판을 치고 넘쳐흐를 것이다. 그들은, 오쇼가 말한 대로, "진짜들의 말을 교묘하게 흉내내므로", 언어와 지식으로서는 진짜와 가짜를 분별할 수 없을 것이다.

간절히 호소하노니, 길이 다르다고 하여 서로가 분리되었다고 여기지 말라. 이념과 교리와 사상과 문화와 전통들이 다르다고 하여 서로가 화합할 수 없을 거라고 생각하지 말라. 비록 종교와 이념과 교리와 사상은 다르다 하더라도, 진리를 향한 진실함이, 신을 믿는 순결함이 같다면, 이제 이 어둠 속에서, 각자의 종교와 이념과 교리를 품에 안고서 헤아릴 수 없이 많은 "다름"들이, 별처럼 빛나게 될 것이다. 밤하늘의 별들은 제각각 다르다. 그러나 헤아릴 수 없이 많은 그 "다름"들이, 어둠 속에서 환하게, "별자리"라는 이름으로 조화를 이룬다.

나는 신의 뜻을 모른다. 내가 아는 것은, 오직 신의 뜻을 모른다는 것을 이제 알았다는 것뿐이다. 이 어둠 속에서, 나는 그저 운 좋게 사명을 알게 된 안내자 중의 한 명일 뿐이다. 이미 지금도 이 지구상의 양들의 곁에는 신께서 선택하신 성실하고 진실한 종들이 많이 태어나고 일어나고 있을 것이다.

그러니 오직 마음으로 그들을 대하라. 안내자들을, 목자들을 마주할 적에, 이념과 교리와 사상과 종교가 다르다고 하여 배척하지 말라. 비록 이념과 교리와 사상과 종교가 다르다고 하더라도, 그들의 말에, 행동에, 얼굴에, 표정에, 그들의 존재 자체에서, 신에 대한 진실함과 진리에 대한 진정성이 온통 넘쳐 흐르는지만을 마주보라.

그리한다면 어둠 속에서 영원히 잃어버리지 않을 빛을 발견하게 될 것이기 때문이다.

끝맺음

 지금까지 늘 무언가를 쓰고, 말하고, 이야기하는 과정에서 나는 늘 최선을 다했다.

 그러나 오해하지는 말라. 이는 내가 성실하다는 자랑이 아니다. 다만 세상 사람들의 최선의 기준과 나의 그것이 다를 뿐이다. 내게 있어서 최선이란, "실력, 역량, 결과"도 아니고, "마음가짐"의 문제도 아니다.

내게 최선이란 오직 신에 대한, 진리에 대한, 진실함과 진정성, 그리고 순결함일 뿐이다.

나는 모든 글들을 쓸 때마다, 모든 언어를 뱉어낼 때마다, 모든 말들을 할 때마다, 늘 최선을 다했고, 최선을 다하고 있으며, 앞으로도 영원히 그러할 것이다.

스스로 더럽혀졌다고 믿었던 자가 마침내 환한 빛 속에서 깨달음을 얻었을 적에, 나는 처음부터 더럽혀진 적이 없었음을, 늘 밝음 가운데 있어왔고 이것은 태어나기 전부터, 그리고 죽은 이후로도 영원히 그러할 것임을 알았을 때의, 그 환희와 기쁨이 곧 순결함이며, 진정성이고, 진실함이기 때문이다. 그 내면의 기쁨이 곧 평화이며, 영원히 잃어버리지 않을 자유이기 때문이다.

이 글을 읽는 모든 이들의 여행길에, 신께서 늘 함께하실 것이다.